DU MEME AUTEUR

— *Les Yeux CIIICXXV,* Fata Morgana
— *Les Yeux MMDVI,* Christian Bourgois Editeur
— *La Joie des Yeux,* Christian Bourgois Editeur
— *Les Yeux du Rêve,* Christian Bourgois Editeur
— *Le Mot Boules,* Fata Morgana
— *Le Mot Yeux,* Fata Morgana
— *Le Bout des Bordes,* Obliques
— *Le Hasard des Yeux ou la Main de la Providence,* L'Originel
— *Comme une petite terre aveugle,* Lettres Vives
— *Le Chant des Yeux,* Tribu
— *Le Voyage des Yeux,* Carte Blanche
— *Le Génie des Yeux,* Les Ecrits des Forges (Québec)
— *Les Yeux Goinfres,* Editions Voix
— *La Face et le Profil,* Lettres Vives
— *L'Adieu aux Animaux,* Christian Bourgois Editeur
— *La Main gauche et la Main droite,* Gris Banal Editeur
— *Le Vertige,* Creaphis

NUIT

Sur la couverture : détail d'une « horloge » de Titi Parant.

Cet ouvrage a été publié avec le concours du Centre National des Lettres

ISBN 2-905817-18-6

JEAN-LUC PARANT

NUIT

EDITEURS EVIDANT
25, rue Moreau-de-Tours
77590 Bois-le-Roi

LE CHEMIN DE L'INFINI

L'homme ouvre les yeux et il traverse le ciel, il recouvre le vide qui l'entoure et lui donne des contours. Il trace dans le ciel une infinité de lignes d'horizon jusqu'où il fait voler son corps.

Si l'homme ne voyait pas il n'aurait pas inventé les avions. Les voyages dans l'espace n'existeraient pas car le soleil ne serait pas la lumière qui l'éclaire, il serait la chaleur qui lui donne la vie. L'homme ne bougerait pas, ne se soulèverait pas car au-dessus de lui le ciel serait en feu.

Le ciel a une fin et l'homme peut le parcourir et s'envoler vers ce qu'il voit ; mais le ciel est aussi le vide sans fin où ses yeux n'iront jamais.

L'homme court après ses yeux, il veut les dépasser, aller plus loin que ce qu'ils voient. Il ne veut pas seulement aller là où ils vont, il veut que son corps soit un œil pour lui faire toucher ce que ses yeux ne voient pas. L'homme veut que ses bras soient immenses, que son corps emplisse entiè-

rement l'espace démesuré qui s'ouvre au-dessus de lui. L'homme est entré dans l'espace pour ne plus rester immobile à voir ce que son corps ne touche pas, pour être un œil qui touche ce qu'il voit.

Si l'univers commence avec un autre soleil, une autre lumière l'éclaire et d'autres yeux le voient. Le corps de l'homme est un œil qui attend un autre soleil pour s'ouvrir sur l'infini, un œil qui verrait tout dans la lumière que lui cache le soleil.

La peau qui recouvre le corps est sa paupière, le corps est un œil aveugle tourné vers d'autres soleils. Si la peau ne peut pas se soulever sans faire saigner le corps, c'est parce que l'œil souffre de s'ouvrir à la lumière du soleil qui n'éclaire que la terre. Si les yeux ont la forme du soleil et de la terre, le corps a la forme de tous les soleils et de toutes les planètes de l'univers.

Infiniment loin du soleil, le corps serait un œil qui verrait l'infini. Sous la peau la chair est voyante, comme derrière le soleil l'infini est visible. La peau retient la chair car elle est un œil qui se projetterait à l'infini si d'autres soleils venaient à éclairer le ciel. Comme le soleil retient l'infini ou comme il est la peau qui retient la chair ou comme la chair est l'infini que la peau et le soleil retiennent sur la terre.

Le corps touche pour voir ce que les yeux voient sans toucher parce que le soleil qui éclaire le monde et les yeux n'éclaire pas l'univers et le corps, et les laisse dans l'obscurité la plus totale.

Le corps touche la terre parce que le soleil qui l'éclaire n'éclaire que ses yeux. Si l'homme ne touchait plus le sol avec ses pieds, un autre soleil l'éclairerait tout entier.

Le corps est doué de tous les sens, même de celui de la

vue, parce qu'il ne voit pas. S'il voyait il ne toucherait pas, il n'entendrait pas et ne parlerait pas parce qu'il serait dans le silence d'un œil qui regarde le vide sans fin.

La conquête de l'espace, les premiers pas sur la lune ont projeté le corps de l'homme là où ses yeux se projettent depuis le début des temps. La conquête de l'espace, c'est la conquête de la vue de l'homme. Les premiers pas sur la lune sont ses premiers pas sur ce qu'il voit. L'homme a mis des milliers d'années avant de pouvoir soulever son corps jusqu'où il voit. L'homme a vu jusqu'à voir l'intouchable le plus intouchable pour que ses yeux emportent son corps avec eux. Si l'homme volait, ses yeux verraient l'infini.

L'homme s'est échappé dans l'espace de la nuit parce que la nuit l'espace est sans fin. L'homme est allé où ses yeux vont le plus loin dans le ciel, il est parti dans la nuit, quand le soleil a laissé la place à tous les autres soleils, car avec eux son corps se dépouille, il n'est plus un corps que le feu brûle et éblouit, il est un œil qui cherche la lumière de tous les soleils pour être libre.

L'homme est libre sous le front, il est enfermé dans un corps dont seule l'ouverture des yeux fait naître le mouvement. L'homme passe par ses yeux pour sortir au-dehors et se déplacer dans le monde, il voit pour se projeter en liberté. Quand le corps de l'homme touche le monde le monde est à l'arrêt, quand il le voit le monde est en mouvement, comme si ses yeux lui donnaient la liberté.

Par ses yeux l'homme voit la liberté, mais il n'est pas libre, il se projette invisible et intouchable pour le devenir dans ce qu'il voit. L'homme est libre quand il voit, quand il n'est plus visible ni touchable sur ce qu'il voit. Il est libre dans la projection de ses yeux, comme il est libre dans la projection de sa pensée. L'homme est libre quand il voit ou quand il pense, quand il devient intouchable et invisible dans le monde ou en lui-même.

L'homme pense dans sa tête parce que son corps n'est encore qu'un œil aveugle. L'homme pense parce que la plus grande partie de son corps ne voit pas, sa peau est restée fermée à la lumière du soleil. Il pense parce qu'il est dans l'obscurité et que son corps ne peut pas aller tout entier où vont ses yeux. Il pense parce qu'il ne s'est pas libéré de la terre sous ses pieds. Comme ses yeux voient parce qu'ils ne se sont pas libérés du soleil dans le ciel. La chair du corps est la chair d'un œil démesuré qui se projette dans la terre pour penser.

Les animaux ne pensent pas parce qu'ils ne voient pas où leur corps ne peut pas aller. Ils voient jusqu'où ils vont, là où leur corps ne va pas ils ne voient pas. Les animaux sont libres, leur corps est un œil qui va où vont leurs yeux.

L'homme n'est pas libre, il pense et il voit pour avoir une image de la liberté. Avec ses yeux et sa pensée il ouvre des bras immenses sans jamais toucher le monde. Il embrasse tout mais rien ne le sent, les yeux et la pensée ne laissent pas de traces, tout reste si intact que tout en devient visible. L'homme voit pour être libre de toucher sans être touché, il pense pour être libre de voir sans être vu. L'homme voit et pense pour toucher et voir en liberté ce que son corps ne touche pas et ne voit pas.

Si l'infini était à la portée de l'homme, l'infini aurait une fin et l'homme ne penserait pas, son corps toucherait ce qu'il voit. L'homme pense parce que ses yeux qui s'ouvrent sur le ciel de la nuit lui ont fait garder intacte l'image d'un univers sans fin. Il pense pour voir ce que ses yeux ne voient pas. S'ils voyaient tout, ses yeux ne verraient plus et son corps tout entier voyant toucherait tout car l'homme ne penserait plus.

L'homme pense parce qu'il ne touche pas tout ce qu'il voit, parce qu'il ne peut pas toucher tout ce qui est au-delà de ses bras tendus et qu'il est immobile devant l'infini.

Quand l'homme touche ce qu'il voit, quand il va où vont ses yeux il ne pense plus. Si l'homme touchait le soleil sa pensée brûlerait avant que son corps brûle.

L'homme a inventé les avions pour aller toucher ce qu'il voit et voir ce qu'il ne voit pas, pour former en lui une autre pensée et aller à nouveau où il voit pour penser ce qu'il ne voit pas et ne touche pas.

La conquête du ciel rassure l'homme car à chaque étape l'homme donne au ciel une nouvelle fin pour le penser et monter un peu plus haut dans l'infini. L'homme voyage dans l'espace pour voir si ses yeux voient du ciel ce qu'il voit lui-même immobile de la terre. Il veut voir si ses yeux ne le trompent pas, si sans bouger sur le sol son corps est voyant de ce qu'il parcourt dans le ciel, et il voit que ses yeux voient du ciel dans le ciel ce que ses yeux voient du ciel sur la terre. Il voit que ses yeux ne lui mentent jamais quand ils se projettent dans le vide sans fin comme s'ils n'existaient que pour s'ouvrir sur l'infini.

Quand les yeux de l'homme voient le soleil et ce qu'il éclaire, ils se trompent sur ce qu'ils voient. Les yeux voient quand ils ont dépassé la lumière qui éclaire la terre, ils voient après le soleil, là où le feu brûlerait l'homme avant qu'il n'ait le temps de s'y projeter tout entier. Les yeux voient, mais ce qu'ils montrent à l'homme quand ils se projettent de la terre au soleil n'est jamais aussi vrai que ses yeux qu'ils ne lui montrent pas. L'homme voit et il cherche la lumière qui lui montrera ses yeux, le soleil qui éclairera le monde sans lui faire croire qu'il ne tourne pas. Les yeux voient quand le soleil a disparu de l'autre côté de la terre, quand le soleil ne les éclaire plus devant eux et qu'il leur montre d'autres soleils.

Tout ce que l'homme ne peut pas atteindre fait naître sa pensée. Il peint et il écrit pour donner une forme à sa pensée car l'insaisissable n'est pas seulement l'infini qu'il ne peut pas atteindre, l'insaisissable c'est aussi ce qu'il peint et écrit avec sa main.

L'homme a choisi le ciel, les voyages qu'il tente dans l'espace n'effacent pas l'image d'un univers infini devant ses yeux. Dans l'espace, le corps de l'homme ne touche pas, il est un œil qui voit. Si la terre est ronde et qu'elle a une fin, le vide n'a pas de forme parce qu'il est sans fin. Si le corps de l'homme ne voit pas, sa pensée est voyante et jamais l'homme ne perdra sa pensée car jamais le ciel ne sera sans mystère.

Si l'homme était resté sur la terre, dans l'eau et dans l'air, le feu serait de la chaleur car son corps serait dans tout. S'il écrit et peint, c'est parce qu'il s'est tourné vers le soleil et sa lumière pour être de nulle part et n'avoir pour origine que les cendres d'un feu. Il a préféré le ciel parce qu'il a préféré être humain, être le monde à lui tout seul, pour ne pas être lui tout seul sans le monde.

L'homme a préféré le ciel et sa lumière plutôt que la terre et son obscurité. Il s'est levé et il a quitté la nuit qui l'entoure pour ne pas rester couché sans le jour. Il s'est échappé avec ses yeux dans le ciel pour ne pas rester avec son corps aveugle sur la terre. Il est allé du côté où sa tête a pu se développer pour ne pas rester du côté où son corps a grandi. L'homme s'est arrêté de grandir sur le sol pour continuer dans l'espace et devenir voyant. S'il n'avait pas choisi le ciel, il serait immense sur la terre et son corps recouvrirait le monde car il serait une espèce animale démesurée qui mangerait tout ce qu'il touche comme il est un homme dont les yeux se nourrissent de tout ce qu'il voit.

L'homme a lancé son corps dans l'espace, il est allé où vont ses yeux pour que son corps devienne un œil, il a quitté la terre pour devenir humain. Quand l'homme ira si loin qu'il ne sera plus visible, il sera tout entier la vue. Quand les yeux de l'homme toucheront et sentiront ce qu'ils voient, quand ils cilleront pour parler et s'ouvriront pour entendre, quand le sens de la vue réunira tous les sens du corps, le corps de l'homme sera le corps humain. Quand avec ses yeux l'homme aura tout entier un corps, son corps aura la forme du corps de l'homme. Tant que l'homme en ses yeux n'aura pas réuni ses oreilles et son nez, sa bouche, ses mains et ses pieds il ne sera pas humain.

Les yeux portent en eux l'espace qui sépare l'homme de l'animal car seuls les yeux parcourent de si grandes distances qu'ils ont pu séparer leurs corps et créer entre eux un espace si grand qu'il a pu loger un autre monde.

Si les animaux ont une infinité de corps différents pour infiniment se séparer du corps de l'homme, le sens de la vue de l'homme est en train de séparer le corps humain du corps animal jusqu'à ce qu'ils ne puissent plus jamais se comparer entre eux. L'homme sera un homme quand aucun autre être vivant ne pourra se comparer à lui, quand le singe sera si loin de lui que l'homme n'aura plus de nez et d'oreilles, plus de pieds, de bouche et de mains, quand l'homme sera indéfini et incontournable comme le regard de ses yeux.

L'homme renaîtra par ses yeux. Une forme sans fin s'échappera de ses yeux.

L'homme n'a pas des yeux, il a un corps en train de naître, et ses yeux ont déjà atteint la paroi où il peint, la page où il écrit, le vide infini où il se projette. Ses yeux ont emporté avec eux son corps jusqu'où ils voient.

NUITS

Le soleil existe parce qu'il n'est pas touchable, il n'est pas touchable parce qu'il est loin, il est loin parce qu'il brûle. Le soleil existe parce qu'il est visible sans être touchable, et seulement visible il disparaît une fois sur deux comme s'il s'éteignait pour tout rendre touchable, comme il apparaît et s'allume pour tout rendre visible. Si le soleil ne brûlait pas il n'apparaîtrait pas parce qu'il ne s'allumerait pas, et il ne disparaîtrait pas parce qu'il ne s'éteindrait pas.

Si le soleil était touchable il ne disparaîtrait pas une fois sur deux car les mains voient ce que les yeux ne touchent pas. Si le visible c'est ce que les yeux touchent et ce que les mains ne voient pas, le touchable c'est ce que les mains touchent et ce que les yeux ne voient plus. Si sous les doigts la plus infime poussière reste infime, dans l'œil elle devient énorme. Les yeux voient infiniment loin parce que l'infime qu'ils touchent devient infini.

Le soleil apparaît devant l'homme parce qu'il est si loin devant lui qu'il le perd du toucher. Il apparaît parce que l'homme le perd déjà de vue et qu'il va disparaître. Quand le monde est vu sans être touché, il apparaît aussi vite qu'il disparaît devant les yeux.

Le monde existe parce qu'il est absent sous les mains, comme l'homme existe parce qu'il est absent sous ses propres yeux. Ce qui existe n'est pas ce que l'homme touche ou voit, c'est ce qui a disparu dans ses mains ou sous ses yeux. Le soleil est visible et intouchable devant l'homme comme sa propre tête est touchable et invisible devant lui-même. Pour l'homme le soleil existe autant que sa tête et ce qui est à la fois touchable et visible n'existe pas plus que ce qui est à la fois intouchable et invisible. La nuit avec le jour ou le jour avec la nuit n'existe pas pour l'homme. L'homme ne vit que sur un côté de la terre à la fois. S'il voit le soleil il ne le voit pas en même temps qu'il ne voit pas sa tête, et s'il touche sa tête il ne la touche pas en même temps qu'il ne touche pas le soleil. Il passe du jour à la nuit et de la nuit au jour dans un mouvement des mains et des yeux qui fait tourner la terre sur elle-même.

Les images ne sont pas touchables parce qu'elles sont si loin qu'elles brûlent les doigts comme le soleil. Elles apparaissent et disparaissent sans cesse, il fait jour ou nuit sur leur surface comme il fait jour ou nuit dans le ciel, elles restent intactes devant les yeux car ce que l'homme voit ne vieillit pas, ses yeux ne touchent à rien.

L'homme a ouvert les yeux et il a vu que la nuit l'entourait. Il s'est mis debout pour avancer, son corps s'est déplacé pour faire le jour, comme la terre tourne pour éclairer le monde.

Il fait jour parce que le soleil est dans la nuit. Il fait nuit sinon les yeux fermés verraient et le corps ne se coucherait pas. Il fait jour parce que les yeux s'ouvrent pour que le corps bouge et que les yeux voient. Sans le mouvement du corps et de la terre il ferait nuit partout.

Il fait jour parce que la terre parcourt d'immenses distances devant la lumière et que le corps se déplace pour se séparer de tout. L'homme ouvre les yeux pour s'éloigner de tout et faire naître le jour. Il ouvre les yeux, et même sans bouger son corps se déplace infiniment loin. L'homme lève les paupières et il change de lieu, il passe de la nuit au jour comme s'il parcourait en un instant ce que parcourt la terre sur elle-même pour passer du jour à la nuit. L'homme ouvre les yeux et il tourne sur lui-même, il bascule dans la nuit, il se retourne sur le jour pour s'échapper de son corps et se projeter dans le monde.

Les yeux s'ouvrent sur le soleil dans la nuit et ils voient juste assez pour que le corps se lève et marche et que la lumière l'éclaire dans ses pas. L'homme ouvre les yeux et il voit le jour parce qu'il fait nuit dans ses orbites, sous ses paupières et dans son corps, il fait nuit en lui parce qu'il est immobile dans l'infini.

L'homme voit et il est libre. Enfermé derrière sa peau il ouvre les yeux et passe à travers tout pour courir dans l'espace devant lui.

L'homme voit et il s'enfuit, comme si la peau qui le recouvre se fendait sous son front pour lui faire quitter son corps et le projeter devant lui, comme elle s'ouvre entre ses jambes pour le multiplier autour de lui. L'homme ouvre les yeux et s'enfuit par deux fentes sous le front pour envelopper le monde, comme il s'accouple et s'enfouit par une fente entre les jambes pour l'envahir avec son corps. L'homme passe par les yeux pour se reproduire dans l'espace et il passe par le corps pour se reproduire dans le temps.

L'homme voit et jouit pour s'échapper de lui-même comme la terre tourne sans cesse sur elle-même et tout autour du soleil pour être sans cesse en fuite dans le ciel. L'homme voit et jouit comme il fait jour et nuit, il tourne autour de ses yeux et de son corps et se déplace du visible au touchable pour se recommencer sans cesse et faire naître en lui l'automne et l'hiver, le printemps et l'été.

L'homme ouvre et ferme les yeux et le soleil apparaît et disparaît comme si son corps portait le mouvement de la terre. L'homme voit et jouit, il part et revient mais son corps reste immobile sur la terre, comme le soleil se lève et se couche sans bouger dans le ciel. La terre tourne et avance dans le vide pour faire avancer l'homme sur la terre et faire tourner le soleil dans le ciel. Tout est en mouvement dans le monde parce que tout fait partie d'un même corps qui est en fuite dans l'infini.

L'homme ouvre les yeux comme la terre tourne. Il voit mais il s'échappe dans la lumière. Son corps se projette invisible dans l'espace parce qu'il ne voit pas la terre tourner, comme il ne sent pas son mouvement sous ses pieds, comme il ne sent pas qu'il s'enfuit tout entier par ses yeux, comme il ne sent pas son sang circuler dans son corps.

L'homme n'entend ni ne sent ni ne voit rien, il est immobile, sourd et aveugle dans l'univers qui explose dans l'infini parce qu'il explose avec lui.

L'homme ferme les yeux et il se sépare de l'univers pour voir le mouvement de la terre, sentir la chaleur du soleil et entendre vivre son corps. Il ferme les yeux et il retourne en lui-même, comme si la nuit l'emplissait et qu'il portait dans son corps et dans sa tête le vide infini qui entoure tout l'univers [1].

L'homme ouvre les yeux et il pense à la nuit qui lui manque pour voir infiniment loin dans le jour. Il pense à l'obscurité sans fin qui est en chaque homme et qui est enfermée en chacun pour qu'il pense. Si l'homme avait une lune dans ses yeux ouverts comme il a un soleil dans ses yeux fermés, il verrait l'univers comme il pense l'infini. Il ouvre les yeux pour voir le monde, mais il ne le voit pas plus sans lune qu'il le penserait sans soleil. L'homme ne voit pas le monde les yeux fermés, il voit infiniment loin en lui-même.

L'homme ferme les yeux et il pense à la nuit, à l'absence de la nuit dans sa vie. Car les hommes ne parlent pas des étoiles, qui sont dans le temps de leur existence autant de temps dans le ciel que l'est le soleil, comme si elles n'existaient que dans leur tête et que la nuit ne pouvait faire

1. Si l'homme a appris à marcher dans le jour, il n'a pas appris à parcourir la nuit, et il ne sait pas que la terre est une boule perdue dans l'univers et que dans la nuit il aurait l'image la plus juste de l'infini. L'homme n'a pas appris à marcher dans la nuit parce que la nuit ne se parcourt pas avec les pieds, elle se parcourt avec les mains et ses mains ont laissé la terre et la nuit derrière lui pour entrer dans le jour devant lui. L'homme a dans sa tête qu'il touche avec ses mains et dans la terre qu'il touche avec ses pieds le concentré d'un espace illimité. Il porte l'univers dans ses mains et l'univers le porte sous ses pieds. Ses membres pour toucher, marcher et voir, peuvent s'étirer infiniment. Si l'homme creuse dans la terre pour la montrer, il pense dans sa tête pour la faire apparaître. S'il montre le soleil et la terre, il rend visible sa propre tête.

Le mouvement de rotation et de translation de la terre tout autour du soleil est le mouvement de la pensée dans la tête. La terre est une tête sur les épaules du monde qui pense l'infini.

naître que les rêves du sommeil. Quand les hommes ne voient pas, rien n'existe plus autour d'eux comme si tout n'existait que devant leurs yeux ouverts et que la vue avait tout recouvert [2].

L'homme ouvre les yeux et il pense aux hommes qui lui mettent en tête que tout ce qui n'est pas visible n'existe pas, comme s'il ne pouvait croire qu'en ce qu'il voit. L'homme ne voit pas ses yeux et ne peut pas croire en ce qu'il voit sans ne plus croire en ses propres yeux. L'homme qui croit en ce qu'il voit ne croit pas en ses yeux qu'il ne voit pas, il croit ce qu'il voit avec ce qu'il ne voit pas et qu'il ne croit pas. Il ne voit pas ce qu'il croit, il voit ce qu'il ne croit pas voir. Ses yeux lui montrent la nuit où il ne voit pas.

Tout est tourné vers le jour, l'homme ne vit qu'un temps

---

2. Si pour l'homme la nuit n'existe que pour les hommes qui vivent dans l'ombre, c'est parce que l'homme n'a pas pris conscience qu'il fait sans cesse nuit sur la terre. L'homme ne se voit pas tout entier parce que la nuit le partage comme elle partage la terre en deux. L'homme vit sur la terre comme s'il faisait jour sans cesse. Tout n'a plus qu'une face comme si l'homme voyait la sienne. L'homme a détourné les yeux devant lui-même, ses yeux s'ouvrent pour voir tout. L'homme n'ouvre pas les yeux vers lui, il se montre aux yeux qui s'ouvrent sur lui.

L'homme est une moitié de lui-même, il s'est réduit à ce qu'il voit de son corps, il a perdu sa tête et ses yeux, il vit avec ses bras et ses jambes comme s'il était seul à se voir. L'homme a oublié la nuit et sans la nuit le jour n'existe pas, sa lumière est sans ombres.

Dans l'obscurité le monde ne s'arrête pas, pour l'homme sa propre tête ne finit pas. L'homme n'a pas pris conscience de la nuit continue qui recouvre la moitié du monde parce qu'il n'a pas pris conscience du vide sans fin dans lequel la terre tourne sans cesse. Avec le vide sans fin dans la tête l'homme aurait sans cesse la nuit en tête et en elle il trouverait la liberté.

solaire, une vie diurne et sans nuit, un jour sans ombre. Si l'homme ne croyait qu'en ce qu'il ne voit pas il croirait en ses yeux, en ses yeux qui ne lui montrent pas ses yeux, en ses yeux qui voient et qui sont aveugles de ses yeux qui voient.

L'homme vit dans un jour qui ne porte pas de nuit. Il voit et il se trompe. Avec la lumière sans obscurité il est avec son corps intouchable et sans le toucher il est sans amour [3].

Si la nuit fait naître l'infini, elle fait apparaître le toucher comme si le touchable n'avait pas d'horizon. La nuit tend les bras de l'homme comme le jour lui tend les yeux [4].

Les hommes ont oublié la nuit, ils ont dormi en elle. Tout

---

3. Le soleil que l'homme voit tourner autour de la terre lui montre que ses yeux le trompent et qu'il ne peut pas croire en ce qu'il voit sans fermer les yeux pour les ouvrir dans sa tête et tout inverser dans sa pensée. L'homme ne voit pas ses yeux parce qu'il est aveugle devant ses yeux, s'il les voit ils seront toujours à l'envers devant lui. L'homme ne peut pas croire en ce que ses yeux lui montrent sans croire en ce que ses yeux ne lui montrent pas. Si les yeux ne font que voir, ce qu'ils voient n'existe pas, ce qui existe c'est ce que les yeux voient et ne voient pas. Tout n'est pas seulement visible, tout est touchable, même si les bras de l'homme sont trop courts et que ses mains sont trop petites ou trop grandes pour atteindre l'insaisissable.

4. Si l'homme ne s'accouple pas avec tous les hommes, c'est parce qu'il lui manque la nuit. Si l'homme recommençait tout dans la nuit, il toucherait tous les hommes qui peuplent la terre. Dans le jour l'homme est si loin de tout qu'il ne touche que lui-même. Si avec son sexe l'homme ne trouve pas l'équilibre qu'il a avec ses yeux c'est parce qu'il a deux yeux comme si l'un était à l'homme et l'autre à la femme. Si la vue détache l'homme de tout ce qu'il voit c'est parce qu'il possède tout en ses yeux. Si l'homme est muni de l'autre corps en l'autre œil c'est parce qu'il en est démuni en son sexe. L'homme voit et ses yeux éclairent le monde parce que ses yeux s'accouplent dans la lumière.

est dans la lumière, intouchable. Les hommes se sont éloignés infiniment loin de tout, ils ne se touchent pas, ils se voient à travers un espace qui les sépare, ils se devinent derrière le jour. Les hommes se parlent à distance, quand ils sont proches ils gardent toujours entre eux une bonne longueur de bras tendu comme s'ils se perdaient du toucher jusqu'à se perdre de la vue. Sans la nuit le jour s'assombrit, sans les mains les yeux ne se ferment plus. Le jour dans le jour il fait nuit [5].

Avec un jour sans nuit l'homme est seul sur la terre car il n'est plus touchable et n'existe que visible. Avec un jour sans nuit le soleil brûlerait l'homme [6].

---

5. Le jour forme une voûte qui se referme au-dessus de l'homme, la lumière détoure le monde, tout se limite au soleil. L'homme ouvre les yeux et s'échappe des contours de son corps, comme s'il ne pouvait le quitter que pour retrouver les contours d'un autre corps en le monde autour de lui. Comme si la nuit l'homme ouvrait des yeux qui traversaient le monde.

6. Le soleil est en train de mettre le feu à la terre, un jour ce ne sera plus qu'un jour et l'homme n'aura plus de paupières.

Tout feu finit par brûler ce qu'il éclaire jusqu'à se consumer lui-même. L'homme vit dans le jour comme si le soleil s'approchait de la terre et que l'homme se préparait à vivre sans la nuit. L'homme se projette par ses yeux pour quitter la terre avant que le soleil ne l'éblouisse, il pense pour projeter la terre dans sa tête avant que le soleil ne la brûle tout entière. L'homme se consume à chaque tour que fait la terre dans le ciel. Le soleil tourne et retourne sans cesse la terre devant lui et la terre fait un tour puis un autre sur elle-même et le soleil échauffe une face puis l'autre jusqu'à la faire tourner tout autour de lui pour tenter de l'enflammer d'un côté puis de l'autre. L'homme est sur un globe qui tourne autour d'un feu si démesuré qu'il ne peut être qu'imprégné de sa lumière. Si la présence du soleil dans le ciel le rassure tant sur la terre, c'est parce que l'homme a maîtrisé ses flammes dans ses yeux pour que le feu ne puisse jamais brûler son corps. L'homme a eu si peur de cette énorme boule de feu suspendue au-dessus de lui qu'il l'a fait entrer dans sa tête pour qu'elle n'existe plus dans le ciel et devienne insaisissable dans sa pensée. L'homme

L'homme est seul dans le jour car il est seul à ne pas se voir. Il est seul dans la nuit qui le recouvre comme s'il portait sans cesse sa propre disparition [7].

L'homme vit le jour et disparaît la nuit pour dormir. Il dort parce qu'il n'est plus seul dans la nuit, il est du côté de la terre où tout a disparu avec lui, et dans la nuit où il ne voit plus le monde, il se couche dans l'invisible et voit

---

vit tant avec le soleil dans sa tête qu'il a peur de la nuit qui contient tous les autres soleils que l'homme n'a pas touchés dans l'infini. Le soleil se rapproche de la terre, l'homme ne vit plus que dans sa lumière, car la nuit se rétrécit comme si la lumière du soleil empiétait sur l'autre moitié de la terre. Il fait nuit sur une si petite partie que l'homme ne trouve plus de place que pour s'arrêter et dormir, même plus assez de nuit pour recouvrir ses yeux.

Si le soleil avait recouvert toute la terre l'homme chercherait la nuit sous sa peau et sous la terre, il creuserait dans son front et dans le sol pour trouver l'ombre et la fraîcheur pour son sommeil. La terre est le lieu où il fait le plus nuit dans le vide. La nuit est cachée dans la terre comme les yeux se ferment pour retrouver la nuit cachée au fond des orbites. L'homme n'est pas entré dans la terre pour faire la nuit, il est entré dans sa tête pour faire le jour et repousser le soleil dans le ciel, reculer le feu dans le vide. Il est entré dans sa tête parce que le soleil devenait du feu qui lui brûlait les yeux. Et les yeux brûlés par le soleil l'homme ne croyait plus qu'en ce qu'ils voyaient. L'homme est dans sa tête et avec sa propre lumière la terre n'est pas plate devant ses yeux parce que le soleil ne tourne pas tout autour d'elle. Le volume et la rondeur de la terre, ses tours sur elle-même et autour du feu ne sont pas visibles les yeux ouverts.

7. L'homme a oublié la nuit comme s'il savait qu'il pouvait toujours la retrouver, la nuit est toujours là sous ses pieds et recouvre toujours une partie de son corps. Le soleil est si loin au-dessus de l'homme, intouchable dans le ciel, absent une fois sur deux, que l'homme a peur qu'il disparaisse à jamais. Si le soleil ne se couchait pas, l'homme ne se lèverait pas, il attendrait que la nuit se lève pour ouvrir les yeux. L'homme profite de la présence du soleil pour ouvrir les yeux et tout rendre visible jusqu'à l'intouchable. A la fin du jour l'homme est si ébloui qu'il ne voit même plus assez pour faire un pas de plus, les yeux en feu il s'endort plein du jour. La nuit est le seul chemin qui mène à un autre jour. L'homme dort dans la nuit pour retrouver le jour.

qu'il n'y a pas que lui qui n'est pas visible. L'homme dort parce qu'il est lui-même la nuit et qu'il la vit tout le jour dans son corps.

Le jour a éveillé l'homme qui en voyant le monde s'est levé pour avancer et chercher où la lumière lui montrerait son corps tout entier [8].

L'homme n'est pas tout entier dans son corps et dans le monde, il ne vit que le temps du feu qui brûle dans le ciel et qui le brûle sur la terre. Il ne vit pas le temps qui l'éteindrait, il le porte comme s'il ne vivait que la moitié du temps sur la moitié de la terre et qu'il ne tournait que la moitié des tours que fait la terre sur elle-même et tout autour du soleil.

La lumière montre à l'homme l'image du temps qui passe,

---

8. L'homme part à la découverte de ce qui l'entoure sur la terre et dans le ciel pour comprendre le monde comme s'il venait tout juste d'arriver sur la terre. Comme si l'homme n'avait pas assez de temps et qu'il avait mis de côté la nuit, infiniment trop longue à vivre, pour ne vivre que dans le jour, oubliant la moitié du monde.

L'homme a atterri sur la terre recouvert d'une combinaison de peau pour se protéger de la lumière et pouvoir entrer en contact avec l'obscurité de la terre. L'homme est venu ici pour observer le soleil et pouvoir en repartir après s'être reproduit dans la nuit. L'homme est enfermé sous une peau parce qu'elle lui a permis de toucher le sol, mais le temps de vie est compté, l'homme ne peut jamais vivre qu'un certain nombre de nuits et de jours avec elle. L'homme brûle, il se consume par ses yeux ouverts et par ses yeux fermés, les tours qu'il fait autour du feu entrent par ses yeux en un mouvement qui atteint son sang et qui lui fait porter le temps. Le mouvement de la terre autour du soleil est mortel pour le corps de l'homme. Il voit le jour et il ne voit pas la nuit au prix de sa propre vie sur la terre. L'homme est sans cesse prêt à disparaître de la surface de la terre, le mouvement sous ses pieds est trop rapide car sa peau ne le protège que pour parcourir une certaine distance autour du soleil. Une fois la distance parcourue dans le vide en feu, l'homme disparaît pour ne plus jamais revenir.

elle lui montre son temps et dénombre ses années. Le soleil apparaît et disparaît pour le faire apparaître et disparaître.

S'il était sans cesse dans la nuit l'homme ne saurait plus quelle heure il est, il ne saurait plus quel âge il a, comme si la vue du feu et des yeux le situait dans le temps. L'homme ne connaît pas la nuit, alors que la nuit recouvre la moitié de la terre à tout moment, comme s'il ne connaissait que la moitié de tout ce qui l'entoure [9]. L'homme ne connaît que la face visible des choses, le dos touchable est resté inconnu de lui. L'homme a tout appris dans le jour et il n'a rien appris dans la nuit. Il sait tout montrer du doigt mais il ne sait rien montrer avec les deux mains.

Quand l'homme entre dans sa tête, il ne pense pas plus loin que la ligne que délimitent ses bras tendus devant lui. Quand il entre dans l'obscurité de la terre il ne peut ni avancer ni se tenir debout, et il finit par s'allonger. L'homme ne connaît pas la nuit, s'il s'aventure en elle il ne peut pas la parcourir, il tombe à chaque pas. A force de vivre dans le jour, l'homme perd sa propre nuit, et il perd le lieu où il pense. L'homme ne peut pas faire quelques pas dans sa tête sans trébucher, s'il va trop loin en elle il bute sur sa pensée et bascule dans le vide. La pensée de l'homme a perdu l'équilibre quand l'homme a perdu la nuit devant lui

---

9. Sur la terre toute chose a un dos et une face parce qu'il fait sans cesse nuit et jour. Les hommes et les animaux portent tous dans le dos et sur la face l'empreinte de la terre et du soleil.

Si la terre quittait le soleil pour parcourir l'univers, l'homme passerait de soleil en soleil sans jamais prévoir la nuit et le jour et il ne saurait plus quand il fait nuit ou jour, il ne saurait plus quand sa face est son dos ou quand son dos est sa face parce qu'il vivrait dans l'infini qui n'a pas de sens.

et qu'il s'est endormi en elle. L'homme pense et il est couché dans sa tête, il ne sait pas tenir sur ses jambes quand le soleil a disparu et que ses yeux ne voient plus. Il pense et il rampe, nage ou vole.

L'homme ne sait pas avancer dans l'obscurité parce qu'il ne sait pas avancer dans sa tête. Il ne va jamais plus loin dans sa tête que les quelques pas qu'il fait debout dans la nuit la plus totale.

La nuit transporte l'homme sur une autre planète et dans un autre corps. Si l'homme l'éclaire c'est pour ne pas quitter la terre et rester dans son corps, il l'éclaire parce qu'il a éclairé sa pensée pour ne pas tomber dans un sommeil sans fin. L'homme pense mais il fait nuit où il pense, et dans la nuit il dort. L'homme pense, il s'allonge et il rêve.

L'homme a tout inventé pour le jour et il a tout fait basculé d'un côté. Le monde où il vit penche vers le feu. Si l'homme vivait dans la nuit autant qu'il vit dans le jour, il remettrait le monde qui l'entoure à sa place et ferait naître avec ses jambes et ses bras des mouvements si démesurés que son corps se déploierait dans l'espace pour se projeter dans l'infini. Tout serait égal sur la terre, l'homme vivrait le temps des équinoxes.

Si le jour et la nuit étaient égaux dans la vie de l'homme, si l'homme vivait autant dans l'éveil et dans le sommeil la nuit et le jour, s'il dormait et s'éveillait à chaque instant ou s'il dormait la moitié du jour et la moitié de la nuit et qu'il s'éveillait la moitié de la nuit et la moitié du jour, il serait sans cesse entre la nuit et le jour en train de tout repenser sans cesse. Si la vie dans la nuit n'égale jamais la vie dans le jour, c'est parce que l'homme s'est éloigné de ce qui pourrait lui faire tout recommencer sans cesse. Il s'est éloigné de la nuit et de tout ce qu'elle fait naître dans le ciel et sur la terre, et il est resté endormi devant l'infini.

L'homme n'existe que dans le jour, il s'est éveillé devant le soleil parce qu'il n'existe que sur la terre qui tourne autour de sa lumière. L'homme n'existe pas la nuit, il s'est endormi devant l'infini parce qu'il n'existe pas sur d'autres planètes qui tournent autour d'autres soleils. L'homme est seul devant un seul soleil et sa lumière l'a ébloui. Il n'a pas le temps de voir l'infini qu'il s'endort ou qu'il s'éveille quand l'infini a disparu.

Si la nuit l'homme est avec l'infini dans le ciel, le jour il est avec l'infime sur la terre. La nuit l'homme est tout entier avec l'univers et son corps, le jour il est avec ses yeux et le feu, il se brûle au soleil, il tourne tout autour de lui comme un insecte dans la nuit autour de la lumière. Car il ne fait pas jour, l'homme voit seulement à travers deux petites fentes un feu qui a allumé le ciel et éclairé la terre. Il ne fait pas jour, s'il faisait jour le soleil dans le jour ne pourrait pas éclairer le monde. Il fait nuit, s'il ne faisait pas nuit les yeux ne s'ouvriraient pas pour voir. Le soleil est dans la nuit. S'il n'était pas dans la nuit, il ne serait qu'un feu qui brûlerait dans le ciel et qui n'éclairerait rien. Si le jour le feu brûle tout, la nuit il est la lumière qui éclaire tout. Il n'y a pas de soleil et il n'y a pas de jour, il n'y a qu'une étoile dans la nuit qui est plus proche que les autres étoiles qui brillent dans le ciel.

Si l'homme fermait les yeux et s'endormait à la lumière il recommencerait tout dans la nuit comme dans un autre jour. Il recommencerait tout de l'autre côté de la terre. L'homme dort toute la nuit pour rester éveillé tout le jour, et il ne connaît pas plus le jour dans le sommeil qu'il ne connaît la nuit dans l'éveil. Si l'homme restait éveillé la nuit pour dormir le jour, il ferait tourner la terre un tour de plus autour du soleil chaque nuit chaque jour. S'il dormait au soleil il s'éveillerait aux étoiles et réinventerait le monde pour une infinité de lumières. L'homme ne concevrait plus le monde pour un même et seul jour mais pour un temps sans fin.

Les yeux de l'homme se sont emplis du soleil et ont recouvert le monde de sa lumière. Les yeux sont en train de brûler l'homme, et le soleil qu'ils projettent brûle la terre tout entière. Si les yeux ne se vidaient pas du soleil pour s'emplir d'une autre lumière, ils deviendraient aveugles et l'homme serait seul avec son monde dans l'infini, ébloui par ses propres yeux.

Si l'homme touchait le monde pendant la moitié du jour et la moitié de la nuit, et qu'il voyait le monde pendant la moitié de la nuit et la moitié du jour, il suivrait le mouvement de la terre et serait en harmonie avec le monde où il ne fait jamais jour d'un côté sans qu'il fasse nuit de l'autre. L'homme porterait la terre sur ses épaules et tournerait avec elle dans le vide pour penser tout autour du soleil. Le soleil ne se lèverait pas seulement dans ses yeux ouverts, il brillerait sur ses paupières baissées, comme les étoiles ne brilleraient pas seulement sur ses paupières baissées, elles se lèveraient dans ses yeux ouverts.

Si l'homme touchait le monde autant le jour que la nuit et s'il voyait le monde autant la nuit que le jour, il n'oublierait pas que le jour il fait nuit et que la nuit il fait jour de l'autre côté de la terre. Il saurait que tout ce qui l'entoure la nuit et le jour, le jour et la nuit, a toujours à la fois un côté visible et un côté touchable, un côté touchable et un côté visible. L'homme ne saurait rien de la nuit et du jour si ses mains ne recouvraient pas ce qu'il voit et que ce qu'il touche reste visible, ou que ses yeux ne découvraient pas ce qu'il touche et que ce qu'il voit reste touchable.

L'homme a tout inventé pour le jour, tout marche avec la lumière. Si ses yeux venaient à se fermer tout deviendrait inutilisable.

L'homme démuni du monde qu'il a fabriqué réapprendrait à vivre dans un autre monde, car rien n'a été pensé pour la nuit, tout est sans mains avec des yeux, tout n'a que des yeux démesurés [10]. L'homme voit et sa vue imagine sa vie, le soleil guide ses pas. Deux petites fentes sous son front ont tout découvert.

L'homme a inventé la lumière pour éclairer la nuit, s'il n'a pas inventé l'obscurité pour éteindre le jour c'est parce que ses yeux fermés la font naître autour de lui.

L'homme pense parce que ses yeux ne font jamais le jour comme ils font la nuit. Il pense comme s'il ouvrait les yeux et que ses yeux faisaient le jour à volonté. Il pense pour ouvrir ses yeux dans la nuit et voir ce qu'il veut quand il veut. L'homme ferme les yeux pour faire la nuit quand il veut sur ce qu'il ne veut pas voir. S'il fermait les yeux et

---

10. L'œil n'existe que sur des distances démesurées, il voit parce que l'espace est infini. Dans l'œil, même l'infime est infini. Si l'homme ne peut pas toucher ses yeux c'est parce que ses yeux recouvrent l'espace visible tout entier. L'œil parcourt le monde, il se projette au-dessus de tout. S'il ne va jamais aussi haut que le front d'où il se projette, c'est parce que la tête d'où il voit porte la pensée qui le rend voyant. Si la main ne peut pas saisir ce que l'œil voit, c'est parce que la main peut toucher le visage d'où l'œil s'ouvre.

qu'il ne faisait pas la nuit le jour comme il ouvre les yeux et ne fait pas le jour la nuit, il penserait pour éteindre dans sa tête le monde qu'il ne peut pas éteindre devant lui, comme il pense pour éclairer dans sa tête le monde qu'il ne peut pas éclairer devant lui.

Si l'homme ne pouvait pas faire la nuit le jour en fermant les yeux comme il ne peut pas faire le jour la nuit en ouvrant les yeux, il aurait inventé l'obscurité pour éteindre le jour comme il a inventé la lumière pour éclairer la nuit. Comme l'homme pense avec la lumière pour voir il penserait avec l'obscurité pour toucher, et avec ses mains qui lui cacheraient le soleil il aurait éteint le jour comme avec ses yeux qui lui montrent le soleil il éclaire la nuit. L'homme a inventé l'électricité quand il a caché le soleil avec sa main.

L'homme ferme les yeux et il fait la nuit devant lui en plein jour, comme si la nuit était déjà en lui ou que son corps était tout entier dans la nuit. L'homme pense comme s'il ouvrait les yeux pour faire le jour devant lui en pleine nuit et tenir debout sur la terre où il fait sans cesse jour et nuit. Il pense pour être à la fois dans la lumière et l'obscurité et que la lumière et l'obscurité soient en lui comme elles sont dans le monde.

L'homme est seulement de passage dans le jour, il pense parce qu'il ne porte pas la lumière et ne fait que passer devant le soleil. S'il ne vit pas dans la nuit c'est parce que la nuit est dans un temps qu'il n'a pas le temps de vivre sur la terre et où il n'a jamais fait plus d'un pas sans tomber. Il vit la nuit en lui depuis le premier homme parce que la nuit n'existe que dans un espace et dans un temps infinis.

Si l'homme ne mourait pas il ne penserait pas, parce qu'il vivrait dans la nuit. La pensée de l'homme est fugitive, elle passe dans sa tête comme la terre passe autour du soleil. L'homme ne pense que ce qu'il faut penser le temps de son passage dans le monde, il pense parce qu'il est en train de disparaître.

Si l'homme reproduisait toujours le même homme comme le chat reproduit toujours le chat, s'il ne faisait jamais naître un homme nouveau, sa tête ne contiendrait pas une pensée et la lumière ne serait pas apparue pour l'éclairer. L'homme pense parce qu'il est seul à être l'homme qu'il est. Il ne se reproduit pas, il reproduit un homme. L'homme pense parce qu'il porte sa propre mort, il porte la mort de l'homme [11].

Si l'homme n'invente rien pour la nuit qui emplit le vide sans fin, c'est parce qu'il n'invente que ce qu'il pense le temps de sa propre vie sur la terre.

L'homme pense et il ne pense qu'un monde et qu'un soleil. S'il vivait dans la nuit il prendrait conscience que le ciel est sans fin et il penserait une infinité de mondes et de soleils et n'aurait pas d'âge. Dans la nuit le temps n'existe pas. Le temps ce sont les jours qui passent.

---

11. La pensée de l'homme n'est pas plus dans sa tête que l'infini n'est dans le ciel. Si la pensée tenait dans la tête, l'infini tout entier tiendrait dans la tête, ou si l'infini tenait dans le ciel la pensée tout entière tiendrait dans le ciel. La tête et le ciel s'échangent sans cesse la pensée et l'infini. La pensée se projette dans le ciel et l'infini se projette dans la tête jusqu'à ce que la tête contienne l'infini et le ciel la pensée de l'homme, pour que l'infini tienne dans l'infime et que l'infime tienne dans l'infini. L'homme pense et tout lui échappe parce que l'infini devient à sa portée. L'homme ne saisit pas sa pensée comme il ne saisit pas l'infini parce qu'il est immobile et que sa pensée et l'infini sont entraînés par le mouvement de la terre autour du soleil.

L'homme voit et sa vue le rassure sur le temps, ses yeux lui donnent l'heure qu'il est et il voit l'âge qu'il a à travers eux. Les yeux et le soleil ne sont là qu'en passant. S'ils paraissent aussi neufs sur les visages et dans le ciel c'est parce qu'ils montrent à l'homme qu'il est toujours en vie à peine il voit. L'homme ne voit pas ses yeux comme il ne voit pas le soleil, il voit. Comme si ses yeux et le soleil naissaient dans l'instant.

Si les yeux et le soleil n'étaient pas là en passant, ils ne disparaîtraient pas sous les paupières et dans le ciel, ils seraient là sans cesse, sans âge comme la terre et le sexe.

Si la terre et le sexe ne font naître que la nuit sans début ni fin, le soleil et les yeux portent le temps de la vie de l'homme.

Le soleil brille dans la nuit, il brille comme un instant qui se serait échappé de l'obscurité où le temps est sans fin pour donner à l'homme le temps de vivre.

Avec ses yeux et le soleil l'homme fait partie du temps, il est entré dans la nuit sans âge où l'univers ne finit pas, car le jour n'est que l'infime partie de la nuit. La lumière s'est allumée pour tenir l'obscurité immobile dans le temps. Le jour retient la nuit, sans la lumière l'infini s'arrêterait et aurait une fin [12].

---

12. L'homme ne peut pas saisir sa pensée sans lui mettre une fin, comme il ne peut pas saisir l'infini sans s'arrêter de penser. Quand la pensée de l'homme ne tient plus que dans sa tête, l'infini ne tient plus dans le ciel, l'univers s'arrête au soleil et l'homme à son corps. Le soleil n'éclaire plus, il brûle, le corps de l'homme ne pense plus, il se reproduit sur la terre. Les yeux s'ouvrent pour éclairer la nuit sous sa peau comme l'homme pense pour éclairer l'infini dans sa tête.

Si l'homme ne vit pas dans la nuit c'est parce qu'il ne peut pas se mettre debout en elle, la nuit est le lieu où tout se couche et où rien n'avance, où le temps est immobile. Si l'homme se tournait vers la nuit, il regarderait dans son dos et quitterait le soleil pour entrer dans un sommeil sans fin.

Si dans la nuit l'homme vole, tue ou fait l'amour, c'est parce qu'il n'est plus visible et que le temps n'existe pas. Quand on ne le voit pas, l'homme peut tout faire, il entre même dans sa tête pour penser.

L'homme ne se voit pas lui-même afin de se rendre visible. Il voit le monde parce qu'il ne voit pas ses propres yeux. Invisible l'homme s'est levé du sol pour devenir un homme et dans la nuit seulement il a découvert la face de son corps, il a ouvert sa tête au monde comme s'il était fait pour vivre une infinité de temps. La nuit en l'homme est dans sa tête, s'il la porte sur ses épaules c'est parce qu'il s'est soulevé de terre avec elle.

Chaque homme pense différemment parce que la nuit en lui n'est pas du même temps et du même espace que la nuit en tous les hommes. La pensée c'est ce qui existe pour l'homme quand l'homme est seul avec lui-même.

Le monde dans lequel les hommes vivent est plein du même espace et du même temps, tout est semblable à la lumière. Les hommes ont tous en commun le temps et l'espace de leur vie. Seul dans sa nuit, l'homme pense.

Dans la nuit l'homme aurait mis sa pensée dans son corps, tous ses mouvements l'auraient projeté dans le monde. Mais l'homme ne connaît pas la nuit, l'obscurité n'existe que dans son sommeil.

Si l'homme avait pris conscience de la nuit autour de lui,

il aurait mis sa pensée dans le monde plutôt que dans sa tête. L'homme pense sans que cela se voie, il pense parce que dans sa tête il est dans la nuit la plus totale. S'il vivait dans la nuit il vivrait ce qu'il pense et rendrait visible sa pensée car sa tête éclairerait le monde.

L'homme a peur dans la nuit parce qu'il a peur du temps que porte sa pensée qui est apparue d'un lieu sans âge. L'homme dort la nuit, il laisse tout dans le sommeil pour que rien en lui ne se réveille. Dans l'obscurité l'homme retrouverait ses instincts les plus sauvages, et il ne serait pas l'homme qu'il est, il serait l'homme qu'il pense être dans sa tête.

S'il entrait dans l'obscurité, l'homme retrouverait la force qui l'a fait arriver jusqu'au jour. S'il fermait les yeux et courait, il courrait sous le soleil de sa propre nuit, et il penserait ce qu'il n'a jamais pensé. Il ne s'arrêterait plus de faire des tours et des tours dans sa tête et se mettrait en orbite tout autour d'elle jusqu'à faire le tour entier de l'univers sans fin [13].

---

13. Si l'homme recommençait tout dans la nuit il se servirait de ses yeux comme il se sert de ses mains dans le jour, il verrait dans la nuit ce qui n'est pas visible comme il touche dans le jour ce qui n'est pas touchable.

Si l'homme touche dans le jour il reconnaît la nuit dans ses mains, s'il voit dans la nuit il reconnaît le jour dans ses yeux. L'homme porte dans les yeux et dans les mains la lumière et l'obscurité. S'il quittait la terre et le soleil pour parcourir l'univers il projetterait dans l'inifin le soleil et la terre. Avec ses yeux et ses mains l'homme peut déplacer le monde dans le vide sans fin.

Si les lumières sur la terre la nuit nous signalent toujours la présence de l'homme, c'est que la lumière des étoiles dans le ciel n'est là que pour nous signaler sa présence dans l'univers. Car seul l'homme ne supporte pas l'obscurité. La où la nuit est éclairée l'homme veille pour laisser la trace de sa présence, comme s'il fallait qu'il se montre encore pour qu'il existe toujours, même quand il est endormi [14].

L'homme est absent de l'obscurité car invisible il n'existe pas. L'homme ne change pas de forme et de couleur pour passer inaperçu, il ne fait pas le mort parce qu'il n'est pas un animal. Pour lui la lumière est la vie, et la mort sa disparition dans l'obscurité.

Les lumières sur la terre la nuit ne sont là que pour repousser la mort de l'homme à une autre nuit. L'homme éclaire toujours la nuit pour ne pas la laisser recouvrir le monde, car sans la lumière l'obscurité recouvrirait l'homme pour toujours et le soleil ne reviendrait plus jamais éclairer la terre.

Une nuit sans jour ou un jour sans nuit n'existe pas sur

---

14. L'homme vit dans le jour pour oublier d'où il vient. Le jour lui fait oublier la nuit, il n'a plus ses mains qui le lèvent du sol pour être un homme, il n'a que ses yeux qui le projettent dans le futur.

L'homme est passé par un sexe pour voir le jour et quitter la nuit. Il voit dans le jour parce qu'il ne peut pas retourner d'où il vient, tout s'est refermé derrière lui. Avec ses mains qui le font vivre dans le passé il retrouve le corps où il ne peut plus s'introduire qu'avec son sexe. L'homme est devenu voyant, ses mains ne touchent plus sans que ses yeux voient et se projettent au-delà.

La lumière brille dans la nuit comme les yeux au soleil ou comme le sexe dans la chair. Si dans la nuit ce qui s'éteint et s'allume paraît si étrange c'est parce que l'homme a quitté la terre quand il a saisi l'insaisissable.

la terre où il fait sans cesse nuit et jour. L'homme éclaire toujours la nuit parce qu'il peut avec ses yeux éteindre le jour. L'homme ne garde pas ses yeux sans cesse ouverts, il cille pour que le jour n'éblouisse pas à jamais le monde. L'homme éclaire toujours la nuit parce qu'il ne peut pas avec ses yeux faire le jour la nuit. L'homme a inventé l'électricité pour ouvrir les yeux et voir la nuit comme il ferme les yeux pour ne plus voir le jour.

Une nuit sans jour finirait par devenir sans fin, car ce qui n'a pas d'âge engloutirait le temps, une planète où la nuit serait totale serait sans vie. Une nuit sans jour serait comme un jour sans nuit où l'homme ne pourrait pas fermer les yeux un seul instant, et où la lumière lui arracherait les paupières [15].

Les lumières sur la terre la nuit éclairent les yeux fermés de l'homme pour que l'homme ouvre à nouveau les yeux. Comme les ombres que l'on voit sur la terre le jour éteignent les yeux ouverts de l'homme pour que l'homme ferme à nouveau les yeux.

Si tout feu signale toujours la présence de l'homme, c'est parce que sans le feu l'homme ne vivrait pas et que sans l'homme le feu n'existerait pas. Le soleil c'est d'abord l'homme et sa lumière avant d'être la chaleur et le jour.

L'homme ne supporte pas l'obscurité parce qu'il ne peut

---

15. Si le soleil apparaît et disparaît c'est parce que l'obscurité mène à la lumière et la lumière à l'obscurité. Il ne peut pas faire sans cesse nuit sans faire jour sans cesse. Si l'homme touche pour voir, il voit pour toucher. Voir ne mène qu'à la nuit comme toucher mène au jour. L'homme voit quand il touche et il touche quand il voit. Quand il saisit l'insaisissable il a vu l'invisible.

pas ne pas mourir. Tout ce qui n'a pas d'âge vit dans la nuit. L'homme ne vit pas un certain nombre de nuits et de jours, il vit un certain nombre de tours devant le soleil, ou il vit une seule et même nuit sur une seule et même terre, un certain nombre de jours, chaque jour éclairé par son propre soleil.

L'homme est dans une nuit continue où apparaît et disparaît le soleil, et son apparition et sa disparition continuelles le multiplient par milliers dans le ciel. Si le ciel le jour n'est jamais obscurci d'une infinité de nuits, le ciel la nuit est illuminé d'une infinité de jours. Comme si une seule et même nuit recouvrait toutes les planètes et qu'une infinité de soleils les éclairait.

Quand la lumière ne passe plus, les ombres montrent à l'homme qu'il fait nuit. Car la lumière recouvre seulement l'obscurité, il fait nuit partout. Si l'univers est éclairé par une infinité de lumières qui détermine son début et sa fin, sa naissance et sa mort, l'univers aussi est éteint par une seule et même nuit qui l'infinit.

Si l'homme pouvait dénombrer les soleils que contient l'univers, il connaîtrait l'âge de l'univers, et non seulement l'âge qu'il a depuis son apparition mais aussi l'âge qu'il aura au moment de sa disparition. Si la durée de la vie des êtres vivants se calcule au nombre de tours autour du soleil, la durée de l'univers se calcule au nombre incalculable de soleils qu'il contient [16].

---

16. L'homme pense parce qui'l y a en lui la démesure de l'infini. S'il se couche pour se tourner vers la terre, il se met debout pour se tourner

L'homme ne vit pas dans la nuit parce qu'il est perdu en elle, si perdu qu'il en devient invisible. La nuit l'homme est si petit aux yeux de l'infini qui l'entoure qu'il ne peut pas aller plus loin que le bout de ses bras tendus. Quelques pas dans la nuit lui font perdre l'équilibre comme s'il ne pouvait pas avancer sans tomber et se blesser, s'allonger ou mourir. L'homme ne parcourt pas la nuit sans trouver au bout l'animal qu'il a été, l'animal qu'il est sans la lumière du soleil. La nuit est le temps et l'espace infinis où l'homme tient si peu de place qu'elle lui permet tout juste de se coucher pour dormir. La nuit l'homme n'a jamais assez de place autour de lui, parce qu'il ne peut pas dépasser l'espace et le temps qui le contiennent. Si l'homme pouvait courir dans la nuit, il vivrait infiniment longtemps. La nuit recouvre l'homme, l'homme est si infime sur la terre qu'il voit l'infini dans le ciel [17].

---

vers le soleil et attend de changer de position pour se tourner vers le ciel sans fin et quitter la terre.

17. Dans une grotte l'homme ne sait plus si ses yeux sont ouverts ou fermés, si son corps est debout ou couché. Dans une grotte la nuit n'a pas de jour qui lui est égal au-dehors, l'obscurité en elle a perdu sa lumière. La nuit dans les grottes a eu un jour dans lequel l'homme ne vivait pas, un jour qui a disparu avec le soleil qui s'est éloigné dans le ciel. Comme le jour dans lequel l'homme vit a une nuit dans laquelle il ne vit pas.

La nuit dans les grottes est aussi obscure que le jour au-dehors était éblouissant. Le feu recouvrait les grottes, le soleil était si proche dans le ciel qu'il touchait le sol, la nuit n'existait qu'à l'intérieur de la terre. Quand le soleil s'est éloigné pour faire naître la nuit et le jour où vit l'homme, l'homme a conservé dans sa tête l'obscurité où il vivait et dans sa pensée la lumière qui lui avait brûlé les yeux.

Le jour rassure l'homme parce qu'il le rend visible, il le rend visible parce que le jour réduit infiniment le temps comme il réduit infiniment l'espace. Dans le jour l'homme est si grand et le monde qui l'entoure si petit que les yeux peuvent tout recouvrir d'un seul mouvement de paupières [18].

Si l'homme restait immobile dans le jour il perdrait l'équilibre, comme s'il ne pouvait pas ne pas avancer sans faire tomber la nuit. L'homme parcourt le jour, il marche en lui parce que le jour est tout entier son temps et son espace. L'homme a trop de place dans le jour, il ne peut pas le parcourir. Si l'homme restait immobile dans le jour, il retrouverait le temps et l'espace sans début ni fin. L'homme recou-

---

18. L'homme ne dit jamais une nuit, il dit un jour : le jour de sa naissance ou le jour de la mort. Comme si rien ne pouvait arriver la nuit et qu'il ne se passait jamais rien quand le soleil avait disparu dans le ciel. La nuit est un temps mort en chaque vie, comme si elle avait été rayée du temps pour être incluse dans le compte même des jours. Car la nuit l'homme dort, il est couché et il a les yeux fermés, comme s'il n'existait plus ou qu'il était d'un autre âge dans un autre temps. La nuit l'homme n'est pas définissable dans le temps, son corps allongé dans le sommeil se confond avec tous les autres corps passés et à venir pour être un corps de tous les temps.

Si l'homme éclaire la nuit c'est parce qu'il pense. Il pense pour se préparer à un jour continu devant ses yeux. L'homme attend le retour du soleil pour fermer les yeux et disparaître dans sa tête comme dans une grotte.

Quand l'homme est debout, les yeux ouverts dans le jour, il est présent dans son temps. Comme si le soleil comptait les tours que l'homme fait tout autour de lui depuis qu'il voit sa lumière intouchable dans le ciel. L'homme n'est plus que dans le jour, comme s'il avait déjà vécu la nuit et qu'il l'avait quittée depuis que le soleil était arrivé devant ses yeux. L'homme s'active dans le jour, comme si le jour se levait pour la première et dernière fois, ou que les jours qui passent étaient comptés. L'homme vient de se réveiller et ne veut pas retomber dans le sommeil car tout est dans le feu qui brûle dans la nuit.

vre le jour, l'homme est si infini sur la terre que ses yeux voient l'infime en le soleil qui l'éclaire [19].

L'homme pense et c'est toujours la nuit du côté où il pense, comme il voit et c'est toujours le jour du côté où il voit. L'homme pense et il passe de l'autre côté où le temps et l'espace sont infinis, comme s'il pensait toujours dans la mort et que dans sa tête il refaisait le parcours de tout ce qui l'avait précédé sur la terre et dans le ciel. L'homme pense pour parcourir le feu qui a brûlé les hommes chaque jour, pour parcourir tous les soleils qui les ont éclairés depuis que l'homme existe dans le monde. L'homme pense et dans la nuit où il pense il ne peut pas avancer, il ne fait jamais plus que quelques pas dans sa tête sans qu'ils ne le mènent dans une autre direction. Il pense mais il essaie seulement de ne pas se perdre, l'obscurité qui l'entoure l'immobilise. L'homme pense et il a si peu l'habitude de la nuit qu'il prend toujours le même chemin et parcourt toujours le même espace et la même distance. Il pense et il tourne en rond car la nuit où il est entré est si vaste et si noire qu'il ne peut pas s'y aventurer sans risquer de ne plus jamais retrouver son chemin et de rester pour toujours perdu dans sa

---

19. La lumière domine le monde, les images sont devenues sacrées, tout n'existe que devant les yeux. Si les yeux voient le soleil tourner autour de la terre, ils ne voient pas la terre tourner sur elle-même et autour du soleil. Si l'homme croyait autant en ses yeux qui ne voient pas qu'en ses yeux qui voient il verrait que la terre tourne autour du soleil. Les yeux ne sont pas seulement deux yeux ouverts qui voient, ils sont deux yeux fermés qui ne voient pas. Si l'homme savait se servir de ses yeux, il s'en servirait autant fermés qu'ouverts. Les yeux ne sont pas plus aveugles fermés qu'ils ne sont voyants ouverts. Les yeux fermés saisissent l'invisible comme ouverts ils saisissent le visible.

pensée. Il pense mais s'il s'égarait dans sa tête, s'il se trompait de chemin, il ne reviendrait jamais sur ses pas et ne serait plus là, il serait un peu plus loin dans sa tête et il ne reconnaîtrait plus le monde devant lui.

Si l'homme voit beaucoup plus qu'il pense, c'est parce qu'il a beaucoup plus l'habitude du jour que de la nuit, beaucoup plus l'habitude du dehors que du dedans. Avec le soleil l'homme est sorti de lui-même, ses yeux lui ont fait découvrir la surface de tout ce qui l'entoure, il voit ce qui recouvre le monde. L'homme n'est jamais entré nulle part, il est sorti du corps pour naître et voir le jour [20].

L'homme ne se sert pas de ses mains comme il se sert de ses yeux, ses yeux ont effacé ses mains et le jour a effacé la nuit. Si l'homme tendait ses bras autant de fois qu'il projette ses yeux, il toucherait tout, son corps s'accouplerait avec le monde. L'homme ne prendrait plus conscience des

---

20. L'homme existe parce que ses yeux se sont ouverts dans la lumière du soleil. Si l'homme est originaire d'un lieu sur la terre, il existe pour vivre dans n'importe quel lieu où il fait jour, pour être partout sur la terre d'où il voit le soleil. Si l'homme est attaché à la terre sous ses pieds, ses pieds ne la touchent pas, ils avancent pour trouver la lumière. L'homme est devenu homme quand ses mains ont quitté le sol, et il a vu le soleil sans se brûler au feu.

L'homme dort parce qu'il vient de la terre et de la nuit, son corps vient d'un corps et il a tout touché autour de lui pour voir le jour. Il dort parce qu'il ne peut pas aller de l'autre côté de la terre où il fait jour et faire sans cesse la navette de la nuit au jour. Si l'homme reste au même endroit sur la terre, ce n'est pas parce qu'il en est originaire, c'est parce que la terre tourne sous ses pieds et que son mouvement lui fait faire le tour du soleil sans bouger son corps sur la terre.

couleurs et des formes mais des odeurs et des matières, et il ne ferait pas la différence entre la forme de son corps et la forme du corps des animaux, entre la couleur de sa peau et la couleur de la peau qui recouvre tous les autres corps. Il se mélangerait avec tout et donnerait naissance à mille êtres différents. L'homme serait voyant par tous ses sens et il entrerait partout, ses mains creuseraient dans la terre pour la toucher, ses pieds s'enfonceraient dans le sol pour marcher, comme il disparaîtrait dans sa tête pour penser.

Avec ses mains à la place de ses yeux l'homme ferait des trous dans tout, il toucherait et penserait jusqu'à vider la terre sous ses pieds et sa tête sur ses épaules, il traverserait tout pour faire circuler le vide infini partout dans le monde et tout rendre pénétrable autour de lui. L'homme s'introduirait dans sa tête et dans la terre aussi vite que ses yeux s'échappent dans le ciel, ses bras s'allongeraient pour atteindre l'horizon et recouvrir la terre d'une seule brassée. Car les yeux de l'homme lui ont tout fait quitter, il voit mais il est démuni de tout ce qu'il voit. L'homme s'est envolé au-dessus de la terre et de la nuit, il est parti dans le soleil, attiré par le feu pour brûler à sa lumière [21].

21. L'homme cache une infinité d'yeux sous ses paupières pour trouver une infinité de lieux sur la terre. Si l'homme n'avait que deux yeux il serait immobile et regarderait le soleil. L'homme porte sous ses paupières l'image de la terre entière, il porte dans les yeux toutes les images que contient le jour. Même si l'homme reste au même endroit ses yeux s'ouvrent pour la première fois, parce que l'homme a parcouru d'immenses distances avant de voir et que ses pas ont multiplié ses yeux. L'homme voit et sans bouger il se déplace. Les yeux de l'homme renaissent sans cesse parce qui'ls voient toujours ce qu'ils n'ont jamais vu. Seulement devant le feu l'homme garde ses propres yeux, comme il ne change

A la surface du corps et du monde il y a les yeux et le soleil, mais à l'intérieur du corps et du monde il y a la tête et la terre. Si dans le jour l'homme avance avec ses jambes sur la terre pour voir, dans la nuit il rampe avec ses mains sur la terre pour penser. L'homme ne peut pas avancer dans la nuit parce que la nuit existe dans la terre, ses bras et ses mains le feraient entrer en elle pour prendre racine et le faire vivre une infinité de temps.

L'homme voit parce qu'il ne peut pas entrer et voler dans le ciel, comme il pense parce qu'il ne peut pas entrer et ramper dans la terre. L'homme ne vole pas plus dans le ciel qu'il ne rampe dans la terre, il n'est ni un oiseau ni un serpent et le ciel et la terre ne sont pas les éléments où il vit. L'homme vit dans ses yeux et dans sa tête, et dans ses yeux et sa tête il ne vole pas et il ne rampe pas, il voit et il pense [22].

---

pas d'yeux devant ses yeux qui lui renvoient leur image. L'homme voit ses yeux et ses yeux sont figés devant ses yeux comme devant le feu.

22. Si les yeux de l'homme sont tout ce qu'il lui reste de semblable avec les animaux, c'est parce que les yeux ne sont que l'image du ciel restée intacte malgré le temps qui a tout transformé. Tant que les yeux seront deux petites billes de chair qui s'ouvrent à la lumière et se ferment à l'obscurité, et qu'ils ne seront pas devenus des ailes ou qu'ils ne disparaîtront pas sur le visage de l'homme, le ciel ne changera pas et rien ne se bouleversera dans le vide qui recouvre la terre et le soleil, un seul soleil l'éclairera toujours et une infinité d'étoiles l'illuminera encore.

Avec les mêmes yeux, l'homme sera toujours voyant du même feu. Le ciel n'a pas été touché, parce que les yeux ne touchent pas ce qu'ils voient, le ciel sans fin est intouchable, le temps en lui est indéfini, un instant dans les yeux est comme une infinité d'années dans l'infini.

Tout bouleversement dans le ciel reste invisible à l'homme. Quand l'homme voit le ciel il ne voit pas ses yeux.

Si l'homme volait dans le ciel il verrait avec tous ses yeux, et s'il rampait dans la terre il penserait avec toute sa tête. L'homme voit et ses yeux s'introduisent dans la lumière du soleil, il pense et sa tête s'introduit dans l'obscurité de la terre. Si l'homme voit en avançant les yeux ouverts, il pense en tendant les bras les yeux fermés. L'homme ne voit pas sa tête, il la prend dans ses mains, comme il ne touche pas ses yeux, il les imagine dans ses pieds qui le font avancer devant lui [23].

Si les mains de l'homme sont aussi éloignées au bout de ses bras de sa tête qui pense, ses pieds sont aussi éloignés au bout de ses jambes de ses yeux qui voient. Si l'homme pense dans la terre et voit dans le ciel, c'est parce que ses yeux et le ciel sont du même monde au-dehors et sa tête et la terre du même monde au-dedans. Si la même lumière éclaire les yeux et le ciel, la même obscurité éteint la tête et la terre.

L'homme pense, et il projette dans la terre sa tête qu'il

---

23. L'homme voit sans être vu parce que ses yeux ne touchent à rien. Ses yeux se cachent comme si d'autres paupières les refermaient devant ce qu'ils voient. L'homme voit mais il est invisible pour ce qu'il voit, ses yeux s'ouvrent sans laisser de trace. Les yeux font du mimétisme avec le monde, ils s'introduisent dans sa lumière et se recouvrent de ses couleurs pour apparaître. Les yeux changent de peau sans cesse, ils prennent la forme de ce qu'ils voient pour voir, ils sont tout ce qu'ils voient. Les yeux passent inaperçus devant le monde parce qu'ils deviennent le monde pour le rendre visible devant eux. Si la vue était visible elle recouvrirait le monde et l'homme ne verrait pas ce qu'il voit sans être le seul à le voir.
Les animaux font du mimétisme pour se protéger de ce qui les entoure, sinon leur corps ne pourrait pas se déplacer sans se faire manger. Les yeux sont deux petits corps d'animaux qui parcourent le monde sans se faire voir. L'homme voit par deux trous percés dans un mur de peau.

tient dans ses mains, comme il voit et il projette dans le ciel ses yeux qui s'ouvrent dans ses pas. Si les yeux de l'homme ont des jambes et des pieds pour voir plus loin, sa tête a des bras et des mains pour penser plus loin. L'homme a des yeux qui voient plus loin que des yeux parce qu'il a des jambes et des pieds qui le font avancer debout vers le soleil, comme il a une tête qui pense plus loin qu'une tête parce qu'il a des bras et des mains qui lui font saisir la terre. Il pense, mais il ne touche pas autant dans la nuit qu'il avance pour voir dans le jour. L'homme a mis la nuit de côté, il n'a jamais pensé plus que ce qu'il verrait s'il se tenait immobile dans le jour. L'homme pense sans toucher dans la nuit, comme s'il voyait sans bouger dans le jour.

Si l'homme court les yeux ouverts pour voir dans le jour, il court les yeux fermés pour penser dans la nuit. Si l'homme se déplaçait sur ses mains dans la terre sous le ciel, il se déplacerait sur ses jambes dans le ciel sur la terre. S'il était debout sans toucher la terre pour voir, il serait couché sans voir le ciel pour penser.

Si l'homme s'enfonçait dans la terre, il creuserait un trou si profond que ce trou le mènerait de l'autre côté de la terre. Et l'homme s'enfoncerait si profondément dans sa tête qu'il en ressortirait de l'autre côté, et il ouvrirait deux yeux derrière sa tête pour donner une face à son dos.

S'il y a sans cesse un côté de la terre et de la tête dans la nuit, c'est parce que l'homme n'a jamais été au fond de la terre ni au fond de sa tête. Si l'homme allait aussi loin dans la terre et dans sa tête, le jour y passerait et la lumière les traverserait et il ne ferait jamais nuit. Tant que l'homme aura un dos et qu'un côté de la terre sera sans cesse dans la nuit, son corps et la terre ne seront pas finis et l'homme n'aura pas tout touché ni tout vu ni tout pensé dans l'infini [24].

Si l'homme touchait la terre jusqu'à penser très loin dans sa tête il verrait de l'autre côté de la terre et de sa tête, un autre visage se dessinerait dans son dos, un autre soleil éclairerait la terre quand il fait nuit, et l'autre sexe, comme l'autre côté de son corps, viendrait se blottir entre ses jambes pour le faire renaître sans cesse et le reproduire indéfiniment dans l'infini.

Si l'homme pensait suffisamment loin dans sa tête il n'aurait pas une moitié de son corps dans l'obscurité, car il serait entré dans la terre pour s'éclairer lui-même. L'homme n'est jamais entré dans sa tête comme il n'est jamais entré dans la terre. L'homme marche sur le sol, comme il pense à la surface de sa tête. Ses yeux ouverts lui montrent qu'il n'a jamais été plus loin dans sa tête que le jour sous son front qui le lève pour qu'il s'éveille, comme ses yeux fermés lui montrent qu'il n'a jamais été plus loin dans la terre que la nuit sous ses pieds qui le couche pour qu'il s'endorme.

L'homme voit, s'il pensait il verrait sa propre tête. L'homme prend sa tête dans ses mains comme une petite terre dans la

---

24. La terre n'a pas de sens mais le jour et la nuit lui en donnent un, elle tourne autour du soleil pour avoir un sens. La terre a un dos et une face et en change sans cesse de la nuit au jour. La terre se tourne et se retourne dans l'infini, si elle avait toujours le même dos et la même face, s'il faisait sans cesse jour ou nuit du même côté, elle tournerait en rond dans un espace clos. La terre avance dans le vide, elle est sans cesse en mouvement dans l'infini. L'homme est immobile, sinon il n'aurait pas deux yeux, deux bras et deux jambes, il serait sans devant et derrière, sans dessus et dessous, et sans face ni dos il ne serait plus attaché à la terre mais en mouvement dans l'univers.

nuit que ses doigts toucheraient jusqu'à trouver un passage par où s'introduire. L'homme voit, s'il pensait ses yeux n'auraient pas besoin du soleil, ils émettraient eux-mêmes leur propre lumière, il ne ferait plus jamais nuit et les yeux fermés, l'homme verrait dans sa tête.

Si l'homme pouvait faire le jour en ouvrant les yeux comme il fait la nuit à volonté en fermant les yeux, il penserait et le soleil ne le dominerait pas. L'homme ne serait plus à la merci de sa lumière.

L'homme s'est éteint, le soleil l'a détourné de l'univers qu'il porte dans sa tête, il voit seulement ce que la lumière lui montre, et il voit le monde. La pensée de l'homme est dans la nuit que l'homme est seul à éclairer.

Si l'homme se baissait à terre pour creuser le sol jusqu'à s'enfoncer dans la terre, il quitterait le soleil et trouverait dans la terre sa propre lumière pour devenir son seul soleil. Il ferait si jour dans la terre qu'elle quitterait son orbite tout autour du soleil pour disparaître dans l'univers.

L'homme ne voit pas sa tête parce qu'il pense et qu'il est parti dans sa tête à sa découverte, comme il ne peut pas toucher ses yeux parce qu'il est parti dans ses yeux à la découverte du ciel sans fin.

Si l'homme faisait le tour intérieur de sa tête, il s'échapperait avec elle à la découverte de la terre, et sa tête deviendrait intouchable parce qu'il penserait si loin dans sa tête qu'il verrait avec elle, comme il pense jusqu'au fond de ses yeux pour voir avec eux. Il verrait dans la terre avec sa tête comme il voit dans le ciel avec ses yeux, et il ne pourrait plus toucher sa tête comme il ne peut pas toucher ses yeux parce qu'il voit et ne pense plus avec eux. Si l'homme pouvait toucher ses yeux qu'il ne voit pas comme il ne voit pas sa tête qu'il touche, il penserait avec ses yeux et il ne verrait pas dans le ciel comme il ne voit pas dans la terre. L'homme pense dans sa tête jusqu'à ce qu'elle devienne intouchable pour voir avec elle dans la terre, et que dans la terre sa tête ne devienne pas un œil que la nuit pourrait éteindre comme elle peut éteindre ses yeux, mais que sa tête devienne un soleil que l'homme porterait sur les épaules comme une vue éblouissante qu'aucune nuit ne pourrait aveugler. Car l'homme pense, il essaie d'allumer un feu dans la nuit, comme il a allumé un feu dans le jour en ouvrant les yeux [25].

Si l'homme a pensé dans ses yeux avant de voir avec eux, sa pensée en eux n'a allumé qu'un feu dans le jour en s'ouvrant dans le soleil. Car sans le soleil les yeux de l'homme se ferment jusqu'à devenir touchables, comme si l'homme pensait dans ses yeux quand ses yeux sont fermés. Si les yeux ouverts l'homme voit avec ses yeux, les yeux fermés il pense avec eux.

Si l'homme entrait dans la terre, sa tête deviendrait un soleil qui éclairerait l'intérieur de la terre et la terre quitterait le soleil et l'homme s'enfuirait avec elle. Si l'homme entrait dans la terre il se projetterait avec sa tête comme il se projette avec ses yeux pour entrer dans le ciel. Avec sa tête dans la terre l'homme ferait le tour de tout l'univers.

---

25. Si l'homme ne peut pas séparer son corps de sa tête, la terre ne peut pas se séparer du soleil. Si la tête quittait le corps ou le soleil la terre, le corps comme la terre perdraient l'équilibre et basculeraient dans l'infini. La tête penserait sur d'autres épaules parce que le soleil éclaire d'autres planètes.

L'homme ne voit pas et ne touche pas ses yeux parce qu'ils lui montrent qu'il ne voit qu'à partir d'un jour infiniment éloigné de lui-même ; comme il touche et ne voit pas sa tête parce qu'elle lui montre qu'il ne pense qu'à partir d'une nuit infiniment proche de lui-même. Comme si entre voir et penser, entre la nuit devant l'homme et la nuit en l'homme, l'infini pouvait se loger.

Si l'homme voyait ses yeux et sa tête il ne verrait pas ce qu'il voit et il ne penserait pas ce qu'il pense, ou c'est que les hommes ne verraient plus ses yeux et sa tête, et que tout se serait inversé dans le monde. Comme si les hommes voyaient et pensaient à partir de l'invisible et que dans l'obscurité ils percevaient beaucoup plus que dans la lumière ce que l'homme voit et pense. Dans la nuit les hommes ne voient rien parce qu'ils pensent tout.

Si l'homme sentait la terre tourner sous ses pieds, il verrait sa tête penser sur ses épaules et il serait tout au fond de la terre à l'endroit où un autre feu la fait tourner et où naît sa pensée.

L'homme ne voit pas sa tête, comme la nuit il ne voit pas la terre parce que la terre s'est retournée devant le soleil. Il ne voit pas sa tête parce que le soleil l'éclaire de l'autre côté et que la terre ne laisse passer aucune lumière à travers elle. Comme si l'homme avait toujours la tête du côté où il fait nuit et que la lumière qui éclaire son visage n'arrivait pas à passer du côté où il se trouve devant lui-même [26].

---

26. Si l'homme pouvait téléguider la terre dans le vide, la terre changerait de soleil et deviendrait un œil dont l'homme serait le cerveau.

Le soleil qui éclaire le visage de l'homme est du côté de la terre où l'homme n'est jamais. Si l'homme était du côté où il est visible il se verrait tout entier et le jour et la nuit le feraient apparaître et disparaître devant ses yeux, car de ce côté où il n'est jamais la terre tourne tout autour du soleil. L'homme est du côté où la terre s'est arrêtée dans la nuit, parce qu'il est entré en elle et qu'il fait nuit partout autour de lui.

L'homme ne voit pas son visage, mais il le reconnaît dès qu'il le voit dans un miroir, comme si sa pensée le lui éclairait et qu'elle était des yeux qui ne le quittaient jamais. L'homme se reconnaît parce qu'il pense et que sa pensée est des yeux qui le voient sans cesse comme il reconnaît le visage des hommes que ses yeux ont vus parce que ses yeux en gardent la mémoire. La pensée de l'homme n'a pas de mémoire parce qu'elle est des yeux qui ne se séparent jamais de ce qu'ils voient, elle est la vue du présent comme les yeux sont la pensée du passé.

Si l'homme ne pensait pas il ne se reconnaîtrait pas, comme il ne reconnaît pas le visage des hommes qu'il n'a jamais vus parce qu'il ne pense pas en eux. Si l'homme restait sans cesse à se voir dans un miroir, son image devant

---

Quand l'homme ferme les yeux, il voit dans sa tête comme s'il voyait avec la terre qui tourne comme un œil autour du soleil. La terre n'est pas un corps plus étrange sous les pieds de l'homme que sa tête sur ses épaules, même si un doigt de plus le rendrait monstrueux. Si la terre est un œil de plus, chaque homme en est muni sous ses pieds.

lui deviendrait l'image de sa pensée et ses yeux perdraient la mémoire. L'homme ne pourrait plus voir le monde sans l'oublier aussitôt, ses yeux verraient pour la première fois ce qu'ils voient chaque jour.

Si l'homme se reconnaît sans s'être jamais vu de ses yeux c'est parce qu'il a des yeux de l'autre côté de ses yeux qui ne s'ouvrent que sur lui-même, des yeux qui ne se ferment pas parce qu'ils sont sans cesse devant le même visage. Les yeux se ferment pour s'ouvrir sur le monde et tout garder en mémoire, ils se ferment parce qu'ils voient.

L'homme a des yeux aveugles qui le voient parce qu'ils ne voient que lui-même, des yeux qui n'ont pas de mémoire parce qu'ils le voient sans cesse. Si l'homme se reconnaît, ce n'est pas parce qu'il se souvient de lui — l'homme ne s'est jamais vu — mais c'est parce qu'il ne voit que lui. L'homme ne voit pas son visage parce que ses yeux qui s'ouvrent sur le monde ne se ferment jamais sur son visage. L'homme se reconnaît sans s'être jamais vu, ses yeux qui se sont tournés vers lui ne l'ont jamais quitté parce qu'ils ont perdu la mémoire. Si l'homme ne reconnaît que le visage des hommes qu'il a déjà vus c'est parce que ses yeux pour voir se séparent du monde qu'ils voient. Ses yeux sont une mémoire pour un monde où le jour et la nuit font tout apparaître et disparaître sans cesse. Si l'homme ne voit pas son visage, la nuit ne lui cache pas plus son visage que le jour ne le lui montre, parce que ses yeux qui se tournent vers lui tournent le dos au soleil et au mouvement de la terre, ils sont sans mémoire parce qu'ils sont là présents sans cesse ouverts sur son visage qu'ils ne voient pas. Si l'homme reconnaît son visage c'est parce que ses yeux ont la mémoire de ce qui disparaît.

L'homme ne peut pas reconnaître le visage des hommes qu'il n'a jamais vus parce que les yeux qu'il tourne vers eux ne se sont ni ouverts ni fermés et qu'ils n'ont ni la mémoire de ce qu'ils ont vu ni la mémoire de ce qu'ils n'ont jamais vu. L'homme a des yeux pour se voir qui ne sont ni dans le jour ni dans la nuit parce qu'ils sont leur propre soleil. L'homme n'a pas la mémoire de ce qu'il ne voit pas, comme si ses yeux n'étaient jamais fermés mais toujours ouverts sur l'inconnu [27].

Si l'homme voyait sa tête il ne penserait pas parce que le soleil éclairerait sa surface et l'éteindrait en elle. Le dehors cache le dedans, quand le feu éclaire le monde il brûle à l'intérieur de la terre, de l'eau, de l'air et de la chair. Quand le soleil n'est plus visible il éclaire l'intérieur du monde, l'homme n'est toujours qu'à l'intérieur de sa tête, s'il entrait dans la terre il verrait le soleil transparaître à travers elle.

Ce que l'homme ne voit pas de lui-même, c'est ce qu'il voit des hommes devant lui. Comme si ce qu'il voyait le plus de lui-même était ce qu'il voit le moins des hommes, et qu'il était à l'envers devant eux, la tête dans la terre. L'homme pense parce que les hommes ne pensent pas dans sa tête qui est seule dans la terre [28].

---

27. Si l'homme se regarde dans un miroir, il se reconnaît tout de suite, même s'il se regarde avec mille hommes à la fois. Si l'homme se reconnaît parmi une infinité d'hommes c'est parce que l'homme ne se voit pas lui-même, il se touche et sa réflexion le recouvre tout entier. Quand l'homme se voit il voit comme aucun être vivant ne voit, il saisit l'insaisissable.

28. Quand l'homme se tourne vers les hommes il voit entièrement tout ce qui l'entoure parce que les hommes sont tout entiers visibles devant

Si l'homme se tourne vers lui-même et qu'il se regarde de haut en bas, il passe de l'obscurité à la lumière, s'il se tourne vers les hommes et qu'il les regarde de haut en bas, il passe de la lumière à l'obscurité. Comme si l'homme retrouvait inversées sur le corps des hommes les zones de lumière et d'obscurité qui recouvraient son propre corps.

Quand l'homme se regarde des pieds à la tête, plus son regard monte vers lui plus son corps devient touchable, mais quand il se regarde de la tête aux pieds plus son regard descend vers lui plus son corps devient visible. Quand l'homme regarde les hommes des pieds à la tête, plus son regard monte vers eux plus leur corps devient visible, mais quand il les regarde de la tête aux pieds, plus son regard descend vers eux plus leur corps devient touchable. Comme si de lui-même aux hommes, dans la lumière et l'obscurité qui recouvrent les corps, l'homme retrouvait le mouvement de la terre qui fait naître le jour et la nuit sans cesse [29].

---

lui. Quand l'homme se tourne vers lui-même il ne voit plus ce qui l'entoure parce qu'il est lui-même tout entier invisible devant lui. Si les hommes sont la terre tout entière dans le jour, l'homme est pour lui-même la terre tout entière dans la nuit. Si le soleil est pour les hommes, les étoiles sont pour l'homme. Comme si le jour et la nuit ne quittaient jamais l'homme et que le jour sur les hommes était la nuit sur l'homme, et le jour sur lui la nuit sur eux. Comme si les hommes étaient toujours, pour eux-mêmes et pour les autres, l'image de la terre sans cesse nuit et jour.

29. Si l'homme se retourne, il ne voit rien de lui-même, comme s'il faisait nuit. S'il voit la tête des hommes comme il voit le soleil, il ne voit pas sa propre tête comme il ne voit pas la terre. Si la propre tête de l'homme et la terre contiennent la même obscurité, la tête des hommes et le soleil contiennent la même lumière. Si la terre est plus proche que les hommes devant l'homme, c'est parce que les hommes

Si l'homme touche le haut et voit le bas de son corps, il touche le bas et voit le haut du corps des hommes. L'homme face à lui-même est tantôt touchable : là où face aux hommes il est visible, tantôt visible : là où face aux hommes il est touchable, parce que la terre est sans cesse jour et nuit.

Si l'homme vivait dans la nuit, sans le visible qui le détourne sans cesse de sa propre lumière, il retrouverait l'équilibre comme si face au soleil l'homme se tournait le dos à lui-même. Le touchable mettrait l'homme à l'endroit face au ciel et à la terre.

Si dans la nuit l'homme s'accouple plus facilement que dans le jour, c'est parce que dans la nuit il est dans le même sens que les hommes qui l'entourent. Quand les hommes s'accouplent il fait toujours nuit, sans la nuit ils ne se toucheraient pas. Les uns sur les autres, lumière contre obscurité et obscurité contre lumière, les hommes s'introduisent les uns dans les autres jusqu'à retrouver le mouvement de la terre.

Si l'homme a une main droite et une main gauche, il n'a que deux yeux et l'un ne peut pas s'ouvrir ou se fermer sans l'autre. Si l'un de ses yeux se ferme, l'autre ne délimite plus qu'un espace devant lequel il devient une main qui peut recouvrir tout ce qu'il voit. Si l'homme a deux mains pour

---

sont toujours dans la lumière. Quand les hommes sont dans l'obscurité, la terre et les mains les recouvrent tout entiers.

aller partout, il n'a qu'un œil pour aller tout droit. Car les yeux sont inséparables, ils ne s'égarent jamais, et l'un ne voit pas à gauche quand l'autre voit à droite. Les yeux vont toujours dans une seule et même direction, ils ne se risquent jamais à être l'un sans l'autre parce qu'à deux ils voient toujours un tout, et ce que l'œil gauche ou droit voit n'est jamais qu'une infime partie de ce qu'ils voient à deux.

Les mains se séparent, avec elles l'homme se perd dans toutes les directions, jusqu'à ce que l'une ne retrouve plus l'autre, comme la main droite ne peut plus retrouver la main gauche. Les mains sont nomades parce que la nuit est une aventure. L'homme touche pour se perdre dans l'invisible. Si les mains sont découpées de doigts c'est parce que l'obscurité est partagée d'une infinité de chemins.

L'homme ne s'aventure jamais dans sa tête parce que le jour dans lequel il vit l'a habitué à ne jamais s'égarer. L'homme voit et il ne peut plus se perdre. Quand il pense il est dans la nuit et il ne peut pas avancer dans sa tête, comme s'il avait fermé les yeux dans le jour et qu'il ne voyait plus. L'homme pense et il fait nuit, il n'ouvre pas ses mains et ne tend pas ses bras pour remplacer ses yeux devant lui, il pense et il ne voit rien. L'homme pense mais le jour lui a appris à ne jamais se perdre, il fait du surplace dans sa tête parce qu'il a peur de ne plus en revenir. L'homme pense, il ne met que des yeux dans sa tête et avec eux dans la nuit il ne voit rien. Si l'homme mettait des mains dans sa tête, avec elles dans la nuit il penserait tout. L'homme a dans sa tête une infinité de passages qu'il ne prend jamais parce qu'il pense que dans la nuit ses yeux l'arrêtent pour que son corps se couche. L'homme pense mais il dort dans sa tête, il pense qu'il fait jour et qu'en elle il ne voit plus.

L'homme pense et prend toujours le même chemin, non pas comme s'il était dans la nuit mais comme s'il était aveugle dans le jour. L'homme pense et il essaie de voir un tout dans l'obscurité là où il n'y a qu'une infinité de parties à toucher.

L'homme peut tout montrer avec les mains, mais il ne peut rien montrer avec les yeux. Devant ses mains il y a tout ce qui l'entoure parce qu'il y a ce qui est dans la nuit, mais devant ses yeux il n'y a rien parce que dans le jour il n'y a que l'espace qui sépare tout ce qui est dans la nuit. Si l'homme ne croyait qu'en ce que lui montrent ses yeux, le soleil tournerait autour de la terre.

L'homme a deux yeux qui ne se séparent jamais comme si son visage n'en portait qu'un qui le menait toujours dans une seule direction. Comme l'homme a deux mains qui se séparent toujours pour le mener dans une infinité de directions. Si l'homme avait les yeux munis d'ailes comme ses mains sont munies de doigts, ses yeux seraient séparés pour voir. Car si les mains n'étaient pas articulées de doigts elles n'en feraient qu'une pour toucher.

Si avec ses mains l'homme ne peut pas montrer un tout sans n'en montrer qu'une partie, avec ses yeux il ne peut pas montrer une partie sans montrer un tout. Les mains découpent tout en une infinité de parties parce qu'elles sont découpées de doigts pour faire entrer le corps partout. Les yeux réunissent tout en un tout parce qu'ils ne s'introduisent nulle part, ils montrent à l'homme seulement ce qui recouvre le monde [30].

30. Si l'homme est dans le jour il arrive de la nuit, et la nuit ne recouvre pas seulement la terre et son corps, la même nuit recouvre

Si l'homme se servait de ses yeux comme il se sert de ses mains, s'il voyait à gauche avec l'œil gauche et à droite avec l'œil droit, ses yeux ne verraient pas le soleil en entier et chaque œil serait découpé comme les doigts de la main. L'homme peut séparer ses deux mains, il peut toucher avec la droite ou avec la gauche parce qu'il y a la nuit devant elles là où il y a une infinité de choses à toucher sur la terre. L'homme ne peut pas séparer ses deux yeux et voir avec le droit ou avec le gauche parce qu'il y a le jour devant eux où il n'y a qu'une seule chose à voir dans le ciel.

Si les deux mains jointes sont la représentation de la lumière dans l'obscurité totale, l'image de la vue dans la nuit, les deux yeux disjoints seraient la représentation de l'obscurité dans la lumière totale, l'image du toucher dans le jour.

Si l'homme touchait autant qu'il voit, il n'aurait pas une main droite et une main gauche, il aurait deux mains comme il a deux yeux. Si la main gauche touchait ce que touche la main droite, l'homme vivrait autant dans la nuit qu'il vit dans le jour. L'homme n'est pas plus dans la nuit qu'il ne serait dans le jour si l'un de ses deux yeux ne voyait pas ce que voit l'autre œil.

---

l'univers entièrement. Si l'homme est de partout sur la terre où il fait jour, il vient de partout où il fait nuit, de nulle part dans l'infini. S'il peut montrer du doigt le soleil de partout sur la terre, il peut de partout emplir ses mains de terre et faire une boule pour montrer la terre à l'univers, perdue dans la nuit infinie. Si la nuit l'homme touche avec ses mains, le jour il montre du doigt. Si le soleil brûle les yeux, la nuit recouvre le corps.

Si le dos de l'homme est une face qui regarde la nuit, sa face est un dos qui s'appuie sur le jour. L'homme a une face parce qu'il y a le soleil qui le lève dans le jour, comme il a un dos parce qu'il y a la terre qui le couche dans la nuit. Si l'homme ne pouvait pas se lever, il n'aurait pas de face, et s'il ne pouvait pas se coucher il n'aurait pas de dos. L'homme a l'empreinte du sol dans le dos comme il a l'empreinte du feu sur la face.

Si l'homme reconnaissait les hommes de dos comme il les reconnaît de face, la nuit se serait découverte devant les yeux et la pensée se serait différenciée en chaque homme pour les faire apparaître tout entiers eux-mêmes. Si le dos de l'homme n'était pas anonyme c'est que l'homme serait né dans la lumière de tous les soleils.

L'homme disparaît dans la nuit parce qu'il est si petit sur la terre que s'il ne se couche pas pour se cacher du ciel sans fin il risque de ne plus jamais réapparaître et d'être aspiré tout entier par l'infini. L'homme n'existe que dans une infime partie de l'univers, il existe où il voit et où il se projette pour faire apparaître le soleil au-dessus de lui. Il existe parce qu'il se sépare d'une infinité d'autres soleils dans le ciel. L'homme a ouvert les yeux et il s'est suicidé dans l'univers, il ne reste devant lui qu'un seul soleil qui l'éclaire pour lui donner la vie. L'homme ne pourrait pas projeter ses yeux au-delà du soleil sans se projeter lui-même tout entier, sans ne plus jamais pouvoir revenir sous sa peau et sur la terre.

L'homme ne se voit pas lui-même tout entier parce qu'un seul soleil ne peut lui montrer qu'une infime partie de lui-même. Si une infinité de soleils l'éclairait, il se verrait entièrement. Si la nuit l'homme est invisible c'est parce qu'il n'existe pas pour l'infinité de soleils qui brillent au-dessus de lui, il existe seulement pour le soleil qui le rend visible et qui délimite les contours de la terre. Si l'homme ne peut pas se détacher de la terre c'est parce que la terre ne peut pas se détacher du soleil. L'homme est enfermé dans le plus petit espace que l'infini peut contenir, il est recouvert par la terre et le soleil et l'univers reste impénétrable devant lui. La nuit l'homme disparaît avec la terre comme s'il se couchait pour ne pas tomber dans le vide sans fin où son propre corps l'éblouirait devant ses yeux.

S'il ne faisait pas nuit sans cesse les yeux ne cilleraient pas quand ils voient. Il fait nuit, le soleil n'est pas dans le jour, s'il était dans le jour les yeux ne se fermeraient pas continuellement pour s'ouvrir à nouveau à chaque instant, comme si d'autres paupières se soulevaient pour éclairer ce que les yeux voient. Les yeux cillent devant ce qu'ils voient pour que l'homme entre dans ce qu'il voit. Le battement de ses yeux l'introduit un peu plus dans la lumière, et ses yeux se ferment puis s'ouvrent pour que son corps tout entier saisisse ce qu'ils voient.

Si l'homme n'était pas dans la nuit quand il fait jour, ses yeux ne soulèveraient pas une infinité de paupières quand il voit. Les yeux de l'homme ont des paupières pour chaque lieu qu'il découvre autour de lui, pour chaque chose qu'il voit devant lui. L'homme voit et ses yeux cillent, comme si la nuit était si proche dans le jour que tout ce qu'il voit est recouvert par les paupières d'autres yeux qu'il n'a pas ouverts. L'homme voit et il change de paupières à chaque instant, il ouvre d'autres yeux à chaque pas comme si ses yeux déblayaient la nuit pour soulever les couches d'obscurité qui recouvrent le monde.

L'homme est dans la nuit, s'il allume un feu dans le jour il fait plus chaud mais il ne fait pas plus jour. L'homme est sans cesse dans la nuit, s'il était dans le jour le soleil n'éclairerait rien. Le soleil est dans la nuit, s'il était dans le jour, soleil ou pas il ne ferait pas plus ou pas moins jour. Le soleil éclaire la nuit, il ne fait jamais jour, il fait soleil dans la nuit. Quand l'homme allume la lumière dans la nuit la nuit s'éclaire, s'il l'allume dans le jour la lumière n'éclaire pas le jour. Le jour n'existe pas dans le monde, il est de passage dans la nuit. Il fait nuit partout et dans la nuit sans fin la terre tourne sur elle-même tout autour d'une boule de feu qui l'éclaire tantôt d'un côté tantôt de l'autre. La nuit recouvre l'homme à l'infini, en elle le temps n'existe pas, le temps passe dans le jour, dans la nuit que le soleil éclaire.

Le soleil brûle l'homme, il troue la nuit où il dort et il a troué son corps pour lui montrer le monde. L'homme voit parce qu'il est de passage comme la lumière, il voit tout parce qu'il est sans cesse en train de disparaître comme le soleil pour entrer dans sa tête et retrouver la nuit sans fin où il pense. L'homme voit sans attendre le soleil et le jour, il voit sans cesse parce qu'il éclaire lui-même la nuit, parce qu'il éclaire lui-même sa propre tête où il pense. L'homme voit dans la nuit parce qu'il voit dans sa tête où il fait nuit un soleil immobile qui ne disparaît jamais, comme si le temps n'existait pas. L'homme voit dans la nuit pour quitter le soleil et entrer dans sa tête où le feu ne le brûle plus. Il voit sans cesse pour naître dans sa tête et ne plus être de passage sur la terre.

L'homme pense parce que son élément est le feu. Il pense comme l'oiseau vole. L'homme pense parce qu'il habite la lumière, mais sans l'obscurité où vivent les animaux la lumière n'éclaire rien sur la terre et dans le ciel. Il ne fait pas jour, s'il faisait jour le soleil n'existerait pas. Il n'y a pas que l'homme, s'il n'y avait que lui l'homme ne penserait pas. Il fait nuit partout, et partout il y a les animaux parce que les animaux sont dans la nuit et ils ne voient pas ce que la lumière éclaire, ils voient ce que la lumière chauffe, ils voient ce que le feu brûle. Ils voient la matière qu'ils saisissent dans leur bouche, ils voient ce qu'ils mangent et qui emplit leur ventre.

Si le jour sur la terre n'était pas la nuit que le feu éclaire, si le jour était la lumière qui n'éclaire que le ciel, les animaux ne verraient pas et ils n'existeraient pas parce que tout penserait sur la terre voyante. L'homme voit l'insaisissable parce que la lumière qui l'éclaire est sans chaleur, elle n'est pas la lumière du feu pour des yeux qui voient, elle est la lumière du feu pour des yeux qui pensent. L'homme voit avec sa tête beaucoup plus qu'avec ses yeux.

Le soleil est dans la nuit, l'homme est dans les animaux. Le feu dans le feu n'éclaire rien, il brûle. L'homme dans l'homme ne pense rien, il disparaît. Si une nuit sans fin entoure le jour, une infinité d'animaux entoure l'homme. Si la nuit fait naître le jour, les animaux font naître l'homme. L'homme existe parce que les animaux l'entourent, sans les animaux l'homme n'existerait pas, comme sans la nuit autour du jour le soleil n'éclairerait rien.

L'homme a dit adieu aux animaux comme il a dit adieu à la nuit et au jour. L'homme est entré dans sa tête pour vivre dans une nuit où les animaux n'existent pas, et dans la nuit de sa tête l'homme a trouvé un jour qui ne brûle pas, il a trouvé une lumière qui éclaire le monde sans le toucher parce qu'elle n'émet pas de chaleur. L'homme a trouvé la lumière qu'un feu infiniment loin éclaire jusqu'à l'infini et où tout autre être vivant ne voit rien parce qu'il fait si froid que sans la pensée il n'existe pas.

Quand l'homme regarde ses propres yeux dans un miroir, il ne voit plus que ses yeux, comme si ses yeux qui voient ses yeux lui montraient qu'ils voyaient tout. Si l'homme ne voit pas ses propres yeux quand il voit, et que voyant il voit tout sauf ses yeux, c'est parce que ses yeux qui voient le monde lui montrent qu'ils ne voient rien. L'homme est dans la nuit, s'il n'était pas dans la nuit ses yeux seraient sans cesse ouverts et l'homme n'aurait pas de paupières sous le front et de peau sur le corps, sa chair serait nue et à vif et son corps intouchable et indéfini se serait envolé dans l'infini. L'homme est dans la nuit, s'il n'était pas dans la nuit il n'existerait pas.

Si les yeux sont le jour de l'homme, son sexe est sa nuit et les yeux et le sexe n'ont pas l'âge du corps qui les porte. Ses yeux sont toujours plus jeunes et son sexe toujours plus vieux que la peau qui recouvre son corps. Comme si l'homme s'était étiré entre eux, et que son sexe et ses yeux tournaient autour d'un autre soleil qui ne tournait pas à la même vitesse que le soleil autour duquel tournait son corps sur la terre, comme si ses yeux et son sexe étaient au-delà des tours que fait la terre en tournant, comme hors du temps qui brûle le corps de l'homme.

Les yeux sont dans le jour de tous les soleils qui découvrent l'univers, et le sexe est dans la nuit sans fin qui recouvre l'infini. Si l'homme pouvait détacher ses yeux sous son front et son sexe sous son ventre, ses yeux se projetteraient éternellement dans le jour et son sexe s'accouplerait éternellement dans la nuit. Les yeux et le sexe de l'homme sont les deux extrémités de son corps qui séparées de lui ne pourraient pas disparaître parce qu'ils vivraient dans l'univers infini qui leur aurait donné un corps. Si l'homme est attaché d'un côté à tous les soleils il est attaché de l'autre côté à la nuit sans fin.

L'homme vit sous un seul soleil et dans une infime partie de la nuit, et la nuit où il touche n'est pas plus éteinte que le jour où il voit n'est éclairé. Son corps s'est blotti dans une toute petite partie du monde où le jour et la nuit sont à la taille de son corps et où tout en haut sur son visage sa chair s'est projetée vers tous les soleils qui éclairent l'univers, comme tout en bas entre ses jambes sa peau s'est étirée dans la nuit sans fin qui éteint l'infini.

S'il n'y a qu'une seule nuit infinie il y a un nombre sans fin de soleils, et l'homme est entre l'unique nuit et les multiples soleils, attiré autant par ses yeux que par son sexe, cherchant à voir l'univers pour toucher l'infini.

La nuit l'homme est seul avec lui-même, comme s'il avait perdu tous les hommes dans le ciel. La nuit les hommes n'existent pas, ils ne sont qu'un par un sur la terre sous les mains, ils ne sont qu'un homme plus un homme indéfiniment. La nuit rapproche les hommes les uns des autres, parce que les mains font la différence entre chacun. Les hommes sont tous différents sous leurs mains dans la nuit.

Le jour rassemble les hommes comme s'ils avaient perdu

l'homme sur la terre. Le jour l'homme n'existe pas, il n'est qu'un nombre sans fin sous les yeux, il n'est que les hommes et les hommes indéfiniment. Le jour éloigne les hommes les uns des autres, parce que les yeux ne font pas la différence entre chacun. Les hommes ne sont pas différents sous leurs yeux dans le jour.

Dans la nuit les hommes sont si différents les uns des autres qu'ils ne se mettent plus debout les uns à côté des autres, chacun se couche loin de l'autre. Invisible l'homme est touchable et existe seul sous les mains. Dans la nuit les hommes ne sont plus les hommes, ils ne sont que l'homme parce que les yeux ne peuvent plus tous les recouvrir. Les mains ne recouvrent qu'un seul homme à la fois, et aucune autre paire de mains ne peut venir s'ajouter à ce qu'elles touchent. Quand l'homme touche il n'y a de place que pour ses mains, rien d'autre que ce qu'il touche ne touche ce qu'il touche. Dans la nuit chaque homme est seul, car il n'existe plus devant tous les hommes, il n'existe que sous les mains de l'homme.

Si dans le jour l'homme ne se montrait qu'à un seul homme à la fois c'est qu'il serait si visible que les yeux qui le verraient ne se projetteraient plus que vers lui. L'homme touche parce que ce qu'il touche l'éblouit. Si chaque homme n'existait que pour un seul homme à la fois l'homme ne serait plus le soleil que tous les hommes recouvrent en même temps, il serait une toute petite terre que les hommes découvriraient chacun à son tour.

Si l'homme ne vivait que dans la nuit il retrouverait en lui ce qui fait exister les animaux sur la terre, dans l'eau et dans l'air, il retrouverait en lui une forme qui le différencierait de tous les hommes. Il penserait comme aucun homme ne pense et sa pensée prendrait forme. Il serait à lui seul une espèce si rare qu'il serait indestructible.

Si les hommes n'étaient plus visibles, ils retrouveraient l'animal qu'ils portent en eux et que leurs yeux ont emporté dans l'espace. Car les yeux sont les seules parties du corps que l'homme pourrait échanger avec n'importe quel animal sans devenir monstrueux. Si les hommes perdaient leurs yeux, ils retrouveraient le serpent, le poisson ou l'oiseau qui se cache sous leurs paupières. Invisibles, les hommes seraient tous différents pour se reconnaître, chacun aurait sa propre pensée et sa propre langue. Si le visage de l'homme n'était plus visible, il se transformerait et prendrait la forme d'un corps animal que les hommes reconnaîtraient entre tous.

L'homme pense parce qu'il ne voit pas lui-même son propre visage, il pense pour donner une forme à sa pensée et pouvoir, sans jamais s'être vu lui-même une seule fois, se reconnaître entre mille. Si l'homme pensait infiniment il se transformerait complètement. Les hommes ne se différencient que par la tête, parce qu'ils n'ont jamais pensé plus loin que dans leur tête.

Si les animaux ont tous la même tête c'est parce qu'ils ne pensent pas, s'ils pensent ce n'est que d'une espèce à l'autre, comme si dans une même espèce ils se voyaient eux-mêmes à travers les autres, et qu'ils ne voyaient pas les autres espèces à travers la leur. Les animaux ont pensé jusque dans leur corps pour faire naître une infinité d'espèces. Comme si l'homme pensait jusqu'à pouvoir voler, ramper ou nager dans sa tête et avoir des ailes, des écailles ou des nageoires, pour être tout entier dans sa tête comme les animaux sont dans le monde. Car l'homme n'est nulle part sur la terre, il est seulement couché ou debout suivant qu'il dort ou pas.

S'il était tout entier dans l'eau, l'air ou la terre, il serait dans le jour et la nuit, et vivrait autant dans la lumière que dans l'obscurité. L'homme est dans sa tête, il n'est pas fini parce qu'il s'est arrêté devant le soleil en attendant la lumière de tous les soleils de l'univers.

Si l'homme vivait dans la nuit autant qu'il vit dans le jour, il retrouverait la lumière et l'obscurité qui l'ont fait exister et l'homme n'arrêterait plus de se transformer, il se développerait infiniment et deviendrait énorme ou minuscule, il nagerait, ramperait ou volerait, il serait diurne ou nocturne, et il envahirait le monde.

L'homme ne vit pas dans la nuit parce qu'il vit dans sa tête. Il ne vit pas dans la nuit sur la terre, il vit dans la nuit dans sa tête parce qu'il n'est pas un animal, et que dans cette nuit où il pense il a trouvé un jour où les animaux n'existent pas parce que la lumière qui l'éclaire n'émet aucune chaleur, le feu d'où elle se projette est si loin de tout qu'il éclaire l'infini tout entier. Si les animaux ont peur du feu c'est parce que le feu n'émet aucune lumière, il chauffe leur corps et brûle leurs yeux.

S'il n'y a qu'une seule espèce humaine — comme s'il n'y avait qu'une seule espèce animale, une seule colonie de fourmis, un seul troupeau de moutons — c'est parce que l'homme ne s'est jamais perdu dans sa pensée. L'homme ne sait pas où aller parce qu'il ne sait pas où il est, il hésite entre l'eau, l'air et la terre et fabrique des machines pour rester au-dessus de tout et ne plus toucher le monde. L'homme a perdu la nuit, il voit tout d'infiniment loin parce qu'il s'est séparé de tout ce qui l'entoure et qu'il est tout entier dans le jour qui n'existe que dans une nuit sans fin. L'homme n'est qu'une espèce diurne qui passe chaque jour éblouie devant le soleil. Il n'est pas dans l'eau ni dans l'air ni dans la terre, il est dans la lumière du feu intouchable qu'une seule ombre fait disparaître dans la nuit. L'homme cache le soleil avec sa main pour faire entrer la lumière dans sa tête. Devant le soleil son corps arrête la lumière, et la lumière ne le traverse pas parce que le feu ne le brûle pas, le feu l'éclaire et s'introduit dans sa tête où il fait nuit comme dans son ombre.

L'homme est dans la lumière mais seuls ses yeux peuvent la parcourir. Il vit dans l'insaisissable où il n'est qu'un œil qu'un seul geste peut blesser, qu'un cillement peut éteindre. La lumière n'est qu'un voile de feu intouchable dont une moitié du monde se recouvre sans cesse pour cacher l'obscurité qui le recouvre tout entier.

L'homme ne vit que dans le jour, dans un monde sans nuit. Comme si la terre n'avait pas de matière et que la lumière pouvait la traverser, ou que la terre ne tournait pas et qu'elle était arrêtée au-dessous du soleil. L'homme ne vit que dans le jour, dans un monde sans nuit comme sur une terre transparente et immobile où tout serait insaisissable et sans ombres.

L'homme pense parce que dans sa tête où il fait nuit il recherche le jour où il pourrait exister. Il pense, et il ne vit plus dans la nuit sur la terre, il pense pour être dans la nuit dans sa tête et trouver la lumière qui lui ferait quitter le jour sur la terre. L'homme pense parce qu'il ne vit pas dans la nuit, et dans le jour où il vit il voit ce qu'aucun être vivant ne voit, il voit l'insaisissable où il se projette tout entier pour mettre la lumière qui l'éclaire dans sa pensée. L'homme voit ce qu'il ne peut pas atteindre, pour faire entrer dans sa tête la lumière qui ne brûle pas le monde mais qui éclaire l'infini. L'homme voit ce qu'il ne peut pas toucher pour éclairer la nuit dans sa tête d'un feu qui ne peut pas l'atteindre.

Si l'homme ne vit pas dans la nuit, il pense pour ne plus vivre dans le jour. L'homme a quitté la nuit où il touche tout et où tout le touche pour entrer dans sa tête et quitter le feu et sa lumière qui le brûle. Il a quitté la nuit pour devenir intouchable et voir dans le jour ce qu'il ne touche pas pour disparaître dans sa tête avec l'infini.

Le jour où l'homme est toujours éveillé a effacé la nuit où il est toujours endormi. Tout est devenu intouchable comme si le temps de la nuit toujours vécue dans le sommeil avait fait oublier à l'homme, éveillé dans le jour, la nuit qui recouvrait le monde en l'ombre que la terre projetait elle-même devant tout. La nuit n'est rien d'autre que l'arrêt de la lumière devant la matière, la nuit est l'ombre de la terre sous les pieds. L'ombre est la nuit, et le jour en est plein. Si le monde était sans ombre il serait traversé par la lumière et il ne ferait jamais nuit. Le monde serait transparent et sans consistance, et tout serait invisible. Si le monde n'avait pas un poids et une matière il serait sans ombre. Sans son ombre, le corps de l'homme serait vide, il n'aurait pas de peau et ses yeux verraient à travers lui, car l'homme ne penserait pas. L'homme pense dans son ombre, là où la lumière fait naître la nuit.

Si l'ombre est la nuit, l'ombre est ce qu'il y a de plus touchable en chaque chose. L'ombre n'est que l'image de la nuit contenue en tout. L'ombre n'est pas ce qui est de passage et qui serait insaisissable en chacun, elle est ce qui est immobile et touchable. Car l'ombre naît d'un corps que la lumière ne traverse pas.

L'ombre ne recouvre pas la lumière, c'est la lumière qui recouvre l'ombre. Les ombres sont toutes là, tout n'est qu'une ombre immense et la lumière passe pour recouvrir le monde. Les ombres ont la matière de la terre et l'ombre de l'homme est ce qu'il y a de plus lourd en lui. L'ombre est la seule nuit visible, comme le ciel plein d'étoiles. Car l'ombre de la terre est le ciel infini.

L'homme pense parce que sa tête est dans la nuit et qu'il ne la voit pas. Mais il ne pense pas là où il se voit, il pense aux endroits qui lui sont invisibles et où la lumière ne passe pas. Il pense dans l'ombre.

Si l'homme se voyait tout entier il s'arrêterait de penser. Il ne voit pas sa tête parce qu'il n'a pas la même tête que tous les hommes et qu'il pense dans sa tête. Si l'homme voit ses jambes, ses mains ou ses pieds c'est parce qu'il a le même corps que tous les hommes et qu'il ne pense pas dans son corps. Si l'homme ne montre que son corps qu'il voit rien ne peut le reconnaître, mais s'il montre ce qu'il ne voit pas de son corps tout peut le reconnaître. Comme si les hommes pensaient dans leur tête pour se différencier les uns des autres. Les hommes ne sont différents qu'aux endroits de leur corps où ils sont invisibles, parce qu'ils ne pensent que dans leur nuit là où la lumière peut les éclairer. Sans la nuit le jour n'éclaire rien. L'homme pense pour se différencier et ce qu'il ne voit pas dans sa nuit c'est ce qui le fait exister dans le jour des hommes.

Si la forme de pensée de chaque homme était aussi différente que la forme du corps du serpent l'est de la forme du corps de l'oiseau ou la forme de l'oiseau du poisson, s'il y avait autant de différence d'une pensée à l'autre comme il y en a entre voler dans l'espace ou ramper sur le sol ou nager dans l'eau, les hommes ne se battraient plus pour se partager le monde car chacun ne pourrait vivre que dans son propre élément.

L'homme pense pour être d'une espèce si rare qu'il soit le seul homme dans le monde. Quand il y a la différence qui sépare les hommes il y a la pensée qui les rapproche. Comme la différence entre l'homme et la femme a donné naissance aux hommes. Dans la nuit qui rapproche les hommes entre eux, les hommes sont différents sous leurs mains comme s'ils pensaient chacun différemment. Si l'homme ne s'accouplait qu'avec des êtres différents de lui-même, il donnerait naissance à des êtres pensants. Comme la terre tourne autour du soleil pour faire naître le jour et la nuit.

Si les hommes pensaient une même pensée, ils ne pourraient plus se reconnaître les uns des autres, leur corps porterait un même visage parce qu'ils ne penseraient pas. Si l'homme ne pensait pas il verrait sa propre tête, et la verrait partout sur les épaules de tous les hommes et il ne serait plus lui-même. L'homme est seul pour penser, la pensée est sa seule différence.

Si l'homme ne pouvait plus se couper un ongle ou un cheveu sans trouver la mort ou s'il ne pouvait pas vivre avec un seul pied ou une seule main, comme il ne peut pas vivre sans sa tête sur les épaules, c'est qu'il serait tout entier pensant et que son cerveau emplirait tout son corps. L'homme ne pense pas aux endroits de son corps sans lesquels il peut continuer à vivre. L'homme peut disparaître aux endroits où son corps lui est visible parce qu'il penserait où il a disparu. L'homme pense dans l'invisible, ce qu'il voit ne pense pas. Si l'homme était tout entier pensant il ne verrait pas la plus infime partie de lui-même et il aurait disparu avec ses yeux. L'homme tout entier pensant est tout entier voyant.

Si l'homme se séparait des parties de son corps dont il est voyant et qu'il ne vivait qu'avec les parties dont il est aveugle, s'il ne vivait plus avec ses jambes et ses bras mais avec son dos et sa tête, il couperait la lumière qui l'éclaire jusqu'à être tout entier dans la nuit pour penser par tout son corps invisible, et avec lui l'homme ne disparaîtrait pas de la terre, sa pensée le retiendrait toujours vivant, son corps ne pourrait pas vieillir parce qu'il ne serait pas fait de chair et de sang, mais imprégné de pensée.

avons perdu le feu jusqu'à la terre et loin de

ne ne glisse entre nos doigts et qu'elle est la matière

et que le contact de nos mains avec elle

et qu'elle était

et nous touchons la terre

et notre corps

avec elle

serions avec les serpents les poissons et les oiseaux

corps

ne pourrait pas

parce que l'air

nous pouvions

la terre d'eau ou d'air et que rien ne pourrait nous la brûler

l'arracher et que seulement le feu incendiait le monde

dépouiller les poissons de l'eau ou les serpents

la terre ou les oiseaux de l'air et il faudrait être

chair sans rien qu'elle nue nous le lieu qui nous

serait ainsi dans l'univers n'existe pas et nous recouvre car

de lui-même

et on dirait que lorsqu'on les voit

nos yeux touchent et regardent autant qu'on les voit

partout que leur peau réagissait à la lune qui se posait

nos yeux avaient des plumes

es ne peuvent s'allonger en leurs racines que sous la terre et un arbre couché aussi sous terre

ge un perdu d'arbre perdu pas des racines ds la terre et qu'il va brusquement s'envoler ds le ciel

eau d'avoir perdu ses ailes ds le ciel et qu'il va brusquement s'enfoncer ds la terre

ont des ailes pour la terre comme les oiseaux ont des racines pour le ciel et c'est parce que

et les oiseaux ne se couchent pas la nuit que couchés ils sont morts et il ne pe

aire jour et les arbres et les oiseaux ne voient pas la nuit c'est pourquoi ils sont tjs debout

seule obscurité qu'ils voient est la mort la nuit qui n'engendre pas de soir et la nuit

et les oiseaux ne se couchent pas parce qu'ils ont conscience que la terre

cette

t en train de revenir et si nous nous couchons pas la terre

er serion si on la sentait ou resterait

n et ds la mort le corps s'allonge qu'il n'y a plus de soir et

s'est arrêtée de tourner relever et un arbre couché

eau mort car ts 2 ne morts c'est ne se perchent

arbres comme pas ne pourraient avec eux

mes devraient et si les oiseaux ne pourraient pas tomber

et que pour qu'ils ne s'approchent ja

mourir pas et qu'ils ne tomber et les oiseaux se perchent

seront vivant un ang grande pour pouvoir

tant que si le touch les bras seront tjs près de la mo

s les mai laissés et les oiseaux

ont une pour ce que

pour le arbres pourraient être

des taches noires en elle étaient les trous d'où ils s'envolaient et les oiseaux sont des yeux et que les arb

cette

visage en la terre c'est pourquoi serait devenu trou

le sol est ds le ciel

tjs l'impression ils sont ce qu'il y a de leur vol au-de

et si les arbres et si les oiseaux et les arbres

terre comme sont aussi détachés

comme les et que les arbres

passe com oiseaux

en sont

descen

que morts pour no

n'y sommes ni vraiment atta

pourrait quitté et sur la terre

un arbre le lieu de tt yeux un visag

yeux dont les arbres étions et une de

lointaines dans les trous séries

enfuir

et qu'ils auraient

autant que les oiseaux ni tomber de terre que si un trou se creusait brusquement pouvent

sur la terre

morts ni tomber à une chute de sa matière ds le vide et morts

comme un oiseau dont les ailes que si le

LE BRUIT DE LA TERRE

Si le premier bruit en l'homme c'est le bruit de son cœur, le premier bruit au-delà serait le bruit que fait la terre en tournant sur elle-même et tout autour du soleil ; et l'un ferait naître la vie et l'autre le jour et la nuit, le printemps et l'été, l'automne et l'hiver. Comme si le battement du cœur était le mouvement de la terre dans le corps et que le mouvement de la terre était le battement du cœur dans le monde. L'homme écoute son cœur pour entendre à travers lui le mouvement de la terre comme du passage du jour à la nuit et de la nuit au jour, du printemps à l'été et de l'automne à l'hiver, il entend à travers eux le battement de son cœur. Le corps et le monde se feraient écho : le battement du cœur résonnerait dans le monde et le mouvement de la terre résonnerait dans le corps. Tout serait rythmé aux sons de cette symphonie continue, tout serait en accord avec elle : tous les mouvements du corps, toutes les pensées de l'homme, la terre et le soleil la danseraient sans cesse.

L'homme écoute le jour et la nuit, il écoute les saisons comme si la terre était un corps dont il ne pouvait pas se détacher parce qu'elle le portait en elle. L'homme n'est pas né, il est en train de naître dans l'univers. Quand il quittera la terre son corps existera pour vivre dans l'infini.

Si le bruit de la terre qui tourne est imperceptible à l'homme, c'est parce qu'il entend seulement le bruit des tours qui tournent pour lui-même et qui font naître sa propre nuit et son propre jour : la nuit qui l'endort et le jour qui l'éveille, son propre temps. Comme l'homme ne peut entendre que le battement du cœur qui le fait vivre.

Si l'homme pouvait entendre le bruit que fait la terre en tournant, il entendrait tous les cœurs en même temps et il serait né seul sur la terre en un corps où battraient des milliers de cœurs en chœur. L'homme dormirait la nuit de tous les sommeils, il s'éveillerait le jour de tous les éveils et il serait éternel.

Si la terre ne tournait que pour l'homme, il ferait jour aux endroits où ses yeux se projetteraient et nuit où ses bras se tendraient, et les saisons se renouvelleraient où ses pieds se poseraient. L'homme n'entend pas le bruit que fait la terre en tournant, il n'entend que le bruit de son propre cœur, il n'entend que les tours qui produiront sa propre mort. Comme si le battement de son cœur était le mouvement de la terre sous ses pieds. Le mouvement du corps c'est le mouvement de la terre au-dessous de l'homme dans le vide.

Si l'homme écoutait son cœur jusqu'à entendre la terre tourner, il entendrait les tours qu'elle tourne pour faire vivre son propre corps. La respiration des êtres vivants c'est la terre qui est en train de se retourner sur elle-même et de parcourir l'espace tout autour du feu. Les corps avancent et la terre tourne, leurs yeux s'ouvrent et se ferment et il fait jour et nuit.

Si l'homme comptait les battements de son cœur et qu'il ne s'arrêtait plus de les compter des jours et des nuits et ainsi sans fin, son cœur finirait par battre tout autour de lui, il emplirait l'espace tout entier, et il aurait l'impression de compter les tours que fait la terre sous ses pieds, les tours que fait la terre un certain nombre de fois pour chacun de nous dans le ciel. Si l'homme n'entend pas la terre tourner c'est parce qu'il ne vit pas une éternité. La terre tourne pour une infinité de cœurs passés, présents et à venir, si l'homme l'entendait tourner il porterait en lui le battement du premier cœur qui se mit à battre sur la terre et le battement du dernier.

Quand la terre a commencé à tourner, le cœur s'est mis à battre et les êtres vivants se sont accouplés pour se reproduire et faire battre une infinité de cœurs et entraîner à jamais la terre autour du soleil. Le bruit du cœur c'est le bruit de la terre d'infiniment près dans l'espace et d'infiniment loin dans le temps. Quand le cœur s'arrête dans le corps, la terre s'arrête sous ses pieds parce qu'il n'y a plus de vie en lui comme il n'y a plus de jours, de nuits et de saisons sur la terre et dans le ciel pour lui-même. Si l'homme entendait la terre tourner, il vivrait autant de temps que la terre. L'homme ne vit pas assez longtemps pour entendre le mouvement de la terre, il n'entend que le battement de son cœur, il ne vit que le temps de ce rythme tout autour du soleil.

Si l'homme entendait le mouvement de la terre, son cœur ne pourrait pas s'arrêter sans que la terre s'arrête de tourner, ou il ne pourrait pas mourir sans que la terre disparaisse dans le vide. A travers le battement de son cœur l'homme entend seulement l'infime mouvement d'un mouvement infini, comme quelques tours de soleil qu'il percevrait à travers une infinité d'autres qui lui échapperaient dans le temps.

L'homme n'entend pas le bruit que fait la terre en tournant, il n'entend que le bruit qu'elle émet le temps de sa propre vie en le battement de son propre cœur. Il n'entend que le battement d'un silence dans son corps.

Si le bruit que fait la terre en tournant est imperceptible à l'homme c'est parce qu'il correspond au temps de sa propre vie. Si l'homme était né et mourait en même temps que la terre il l'entendrait tourner. Si l'homme avait l'âge de la terre et qu'il pouvait vivre encore autant de temps qu'elle, les tours que la terre fait sur elle-même et tout autour du soleil l'assourdiraient et son cœur exploserait.

Le cœur bat parce que l'homme sent bouger la terre dans son corps, comme ses yeux s'ouvrent et se ferment parce que le soleil apparaît et disparaît dans le ciel. L'homme sent clignoter le soleil sur son visage, comme si tous les mouvements du monde résonnaient en lui, et qu'il ne pouvait pas lever ou baisser les paupières sans que la terre se retourne sous ses pieds. Et rien qu'au cillement continu de ses yeux ouverts, l'homme voit le mouvement continu de la terre sur elle-même, il voit qu'il ne fait jamais jour sans qu'il fasse nuit quelque part.

Si l'homme touche ses yeux les paupières baissées ou regarde le soleil dans le ciel, il découvre que la terre est ronde, comme tout ce qui se projette dans le vide et qui parcourt l'espace.

Si l'homme ouvre les yeux il voit que ses yeux sont les premières choses qu'il ne voit pas. L'homme ne voit qu'avec ses yeux qu'il ne voit pas, comme s'il ne voyait rien. Avec ses yeux l'homme peut tout voir, comme s'ils avaient tout vu, et avec eux il voit de quoi il est voyant et de quoi il est aveugle : de l'infiniment petit qu'il voit et de l'infiniment grand qu'il ne voit pas.

L'homme ouvre les yeux dans le jour et ses yeux cillent et ne restent pas ouverts sans cesse. Dans leur battement continu ils se ferment à chaque instant comme s'ils étaient toujours aveugles de la nuit de l'autre côté de la terre. L'homme n'ouvre jamais les yeux autant qu'il les ferme parce que la nuit est toujours présente autour de lui. Si le soleil apparaît pour éclairer la nuit il ne disparaît pas pour éteindre le jour, il disparaît et n'éclaire plus la nuit. Si les yeux fermés ne cillent pas dans la nuit et qu'ils ne sont pas voyants du jour de l'autre côté de la terre, c'est parce qu'il n'y a pas plus de jour dans la nuit que dans le jour. Le jour n'existe pas, il fait nuit partout. Le soleil est une étoile dans l'obscurité, il n'est que l'étoile la plus proche dans le ciel.

Si le cillement des yeux ne fait pas plus de bruit que la terre en tournant, c'est parce que les yeux et la terre sont dans un même mouvement qui ne fait naître que le silence de l'infini. Quand les yeux s'ouvrent, ils battent à la lumière comme si le cœur battait à la terre. Les yeux sont le cœur du soleil comme le cœur est l'œil de l'obscurité.

Si les yeux cillent quand ils ne bougent pas, le cœur bat sans bouger dans le corps. L'homme ne sent pas la terre tourner, comme si elle tournait immobile sous ses pieds.

L'homme n'entend pas la terre tourner, il n'entend que les tours que fait son cœur en battant. S'il entendait son cœur résonner jusqu'à l'horizon, il entendrait la terre tourner dans son corps.

Les sons sont insaisissables, ils arrivent comme ils repartent et ni le jour ni la nuit ne les retiennent dans l'espace, l'homme ne sait jamais pour combien de temps ils sont encore là, comme si un soleil invisible les faisait apparaître et disparaître à tout moment du jour et de la nuit.

Si l'homme voit le monde avec ses yeux, il l'imagine dans ses oreilles. Une même musique fait naître dans sa tête une infinité d'images différentes. Si chaque homme a sa propre vision du monde c'est parce que le monde est entendu avant d'être vu. Si l'homme n'entendait pas, le monde serait le même devant tous les hommes. Sans ses oreilles, l'homme tournerait en rond avec ses yeux autour d'un monde immobile.

Si devant les yeux le monde ne se laisse pas toucher, par les oreilles il traverse chaque homme et passe entre ses mains pour se transformer à l'image de sa pensée. Sous les mains le monde se couche et se laisse faire, il se cache pour que l'homme le remodèle à sa façon et lui donne d'autres contours. Avec ses yeux l'homme ne voit pas le monde, il voit ce que le monde lui montre. L'homme touche et entend pour être le seul à voir ce qu'il voit. Si l'homme n'avait pas un corps qui touche et entend, ses yeux seraient aveugles parce qu'ils verraient ce que voient tous les yeux.

Voir ce n'est pas voir ce qui est visible, c'est l'entendre dans ses oreilles et le toucher dans ses mains. L'homme touche et entend pour être voyant et libre devant le monde.

Si les sons peuvent faire tourner mille images dans la pensée, le toucher peut déployer mille formes devant les yeux. Comme si les sons contenaient toutes les images de la pensée et le toucher toutes les formes du monde.

Si l'homme se demande toujours quel est ce bruit qu'il entend ou quelle est cette matière qu'il touche sans être sourd ou intouchable, il ne se demande jamais quelle est cette image qu'il voit sans être aveugle. Si les yeux ne touchent pas et n'entendent pas, les oreilles et les mains ne voient pas, elles pensent. Quand l'homme voit, tout est dans le silence, intouchable. Quand il entend, tout est dans l'obscurité, invisible. Si les sons se déplacent dans la nuit sous les mains, les images tournent dans le silence sous les yeux.

L'homme ne voit pas la terre tourner parce que ses yeux ne l'entendent pas tourner. Comme il n'entend pas et ne sent pas la terre tourner parce que ses oreilles et ses mains ne la voient pas tourner. Si l'homme ne voyait pas il entendrait le monde dans ses mains.

L'homme touche et entend mais ni la nuit ni le jour ne le rendent sourd et intouchable comme la nuit ou le jour le rende aveugle ou voyant. Il pense, et l'apparition ou la disparition du soleil ne l'arrête pas de penser, il pense en dehors du temps.

Si avec ses oreilles et ses mains l'homme reste libre dans sa tête, avec ses yeux qui se projettent devant lui il s'enferme dans le monde. Tout ce qui passe dans ses mains et entre dans ses oreilles peut se confondre avec ce qu'il voit, comme si le monde visible pouvait tout entier passer ou entrer en elles et qu'un son ou un toucher pouvait porter à lui seul une infinité d'images différentes.

L'homme touche et entend toujours une infinité d'images qui arrivent toutes d'un lieu où il ne voit pas, comme s'il avait touché puis entendu le monde pour le penser et que seulement quand le monde a été dans sa tête ses yeux se sont ouverts pour s'échapper en lui. L'homme voit, et tout ce que ses yeux voient provient de tout ce que ses oreilles entendent et de tout ce que ses mains touchent. Les images surgissent de ses mains, elles sortent par ses oreilles pour emplir l'espace et s'immobiliser devant ses yeux.

Si les oreilles n'entendaient plus la nuit ou le jour elles suivraient les tours que fait la terre sur elle-même. Si les yeux voient et ne voient plus, les oreilles entendent sans cesse, la terre les entraîne tout autour du feu dans l'espace. Si le soleil est la lumière des yeux, les étoiles sont la lumière des mains, et le vide sans fin est la lumière des oreilles. L'homme a des yeux pour le proche, des mains pour le lointain et des oreilles pour l'infini.

L'homme voit parce que ses yeux sont nés d'un mouvement de rotation, il entend parce que ses oreilles sont nées d'un mouvement de translation. Il voit et il tourne autour de la terre, comme il entend et se déplace autour du soleil. Si l'homme quittait ses yeux pour monter dans ses oreilles, il partirait avec elles parcourir un nouveau monde. L'homme n'est jamais là où il est parce qu'il entend, il n'est jamais au même endroit parce que les sons le déplacent sans cesse d'un lieu à un autre sans bouger devant lui. S'il était sourd il tournerait autour des mêmes images et le monde se figerait devant ses yeux. L'homme ouvre les yeux et il se projette en tournant, comme il entend pour se déplacer dans l'espace. Si les images tournent sur elles-mêmes pour devenir visibles, les sons se déplacent pour devenir audibles. Les images sont devant les yeux de l'homme, les sons arrivent du bout du monde.

Le corps de l'homme est ainsi placé dans le monde : sa

face donne sur la lumière, son dos sur l'obscurité et chaque côté de son corps sur le vide sans fin.

Le cœur de l'homme ne bat pas, c'est le chant de la terre qui résonne dans son corps. L'homme se montre lui-même tout entier en se désignant du doigt à l'endroit de sa poitrine, comme il montre la terre tout entière en désignant du doigt la surface qui est sous ses pieds. Toute autre partie de l'homme ou de la terre ne peut pas être désignée du doigt sans qu'il n'en soit montré qu'une infime partie. Comme si l'homme était sans cesse attaché à la totalité de la terre. Le mouvement de la terre résonne dans le cœur de l'homme pour en même temps résonner dans son corps. L'homme ne sent pas la terre tourner et avancer dans l'espace parce que tout se déplace, migre et émigre sans cesse sur le globe. Une infinité de mouvements recouvre la terre le jour et la nuit et dissimule sous les pieds de l'homme les tours qu'elle tourne sur elle-même et tout autour du soleil. Si tout s'immobilisait, l'homme sentirait la terre bouger, mais la terre elle-même se serait arrêtée dans le vide. Tous les mouvements du monde sont les mouvements de la terre.

TABLE

Manuscrits dessinés de J.-L. P., pages 72 et 73

Nuit Oiseau, livres jumeaux,
a été achevé d'imprimer
dans la journée du 20 février
sur les presses de l'Imprimerie S.E.G.
pour le compte des Editeurs Evidant.
L'édition originale est constituée
de 700 exemplaires sur bouffant
et de 26 exemplaires sur Vergé
mis en couple par Titi Parant
et notés de A à Z.